U0134498

To my teacher Armen A. Alchian

In grateful memory

給老師阿爾欽

感激與懷念

經濟解釋　第四版

全五卷之二：收入與成本

ECONOMIC EXPLANATION,
FOURTH EDITION
BOOK TWO OF FIVE: INCOME AND COST

張五常 著
Steven N. S. Cheung

Arcadia Press
花千樹

目錄

第四版引言

嚴格地說，收入等於成本等於利息。如果同學們能融會貫通地掌握着這三者之間有兩個等號，對經濟學的重要概念的掌握就打通了過半的經脈。不是那麼容易：沒有市場還會有收入與成本，但沒有利息。另一方面，收入加進消費者盈餘會出現變化，而成本引進租值要從另一個角度看。再者，牽涉到也算是成本的交易費用，其變化與深度要再上幾層樓。

不易學，能全面掌握的經濟學者不多見。可幸這些概念是非常有趣的學問，我曾經為之廢寢忘食好些時日。自己的經驗，是不斷地觀察真實世界的多種現象，持之以恒地以上述的概念作印證，加上一些簡單的公理，推出可以驗證的假說，到後來高深莫測的現象會變得豁然開朗，而概念的掌握就可以來去縱橫了。

今天的同學要學我當年，頻頻把本卷分析的概念以真實世界的現象作印證。有了初步的掌握同學自己會知道。

張五常　二〇一七年一月

收入與成本
Income and Cost

“勞動力”（生產要素）與“珠子帶”（產品）是不同之物，但購買勞動力與購買珠子帶是同一回事，市場一也，跟擦鞋童與皮鞋光亮的例子一樣，只是穿珠子多了一些“中間人”。以件工算工資，生產要素市場與產品市場的合約形式大致相同，多了中間人的監管與訊息的傳達只是為了減少市場顧客需要做的工作，以中間人的專業處理成本較低。

第一章：市場概論

市場是物品或服務交換的地方。一七七六年斯密說得好：“給我那我需要的，你就可以獲得這你需要的，是每項交易的意思。”

交易有不同的形式。單是我們日常的市場交易就有多種變化。除了這些，聖誕節交換禮物是交易，送禮搞關係是交易，走後門是交易，政治交易也是交易。這些不同形式或不同性質的出現可能因為權利結構不同，或交易費用不同，或風俗習慣不同。不是淺學問，詳盡的分析要用幾本書，而好些交易我沒有作過研究。

自願的交易含意着每個參與者皆獲利。此利也，不是平分的。每個交易者都希望能從對方多獲一點甜頭。決定交易利益分配的是市場競爭與交易費用。講深一層，約束競爭的費用也就是交易費用。這是後話，按下不表。

第一節：交易的兩個基本話題

先處理兩個話題吧。其一是交易怎會帶來利益呢？一方面，人與人之間的邊際用值不同。這可能起於品味不同，或各自擁有的物品之量沒有達到人與人之間的邊際用值相等的均衡點。市場競爭會帶來這邊際用值相等，我在《科學說需求》的第七與第九章解釋過了。那所謂市場均衡，是指不同的需求者對同一物品的邊際用值相等，再等於市價。這均衡要基於某些交易費用不存在，但不是基於所有交易費用不存在。如果所有交易費用不存在，不會有市場。換言之，市場的存在是為了減低某些交易費用。要減低哪些交易費用呢？我想了近二十年才找到答案，遲些再說，因為這裡還沒有解釋租值及租值消散。另一方面，如果引進產出活動，交易的利益就更大了。這是因為人與人之間的生產成本不同，各自專業產出然後交易的利益可以很大。有產出活動的市場均衡，邊際成本要加進去。這也是後話。

第二個要在這裡先說一下的話題，是科斯定律。也只能略說——這定律的詳盡分析是卷四的工程。這裡要說的不是科斯一九六〇年發表的《社會成本問題》，而是早一年他發表的《聯邦傳播委員會》其中的一句話："權利有清楚的界定是市場交易的先決條件。"我認為這是科斯定律的幾個版本中唯一可以稱為"定律"的，只是"清楚"(clear)一詞還有待商榷，但不值得花時間爭議。

交易要有私產性質

科斯的思維當年有震撼性，因為他說的市場交易不是什麼汽車、蘋果，而是看不到、摸不着的音波頻率。音波頻率誰屬是可以界定的，事實上可以界定得清楚。好些其他在市場見到的物品或服務，其權利反而沒有界定得那麼清楚。這裡的問題重心，是權利毫無界定的物品或服務，不能在市場成交。

聖誕節交換禮物是一種市場交易，但雙方的互"送"大家要打開包裝才知是什麼。你送給我，不能肯定我也會送給你，但你有我會回送的期待，或在禮物回送之外的另一些"關係"期待。期待，或胡亂地猜測一下將來的回報，某程度也算是有了界定。任何人到市場購買任何物品，都期待着該物品可以帶來的權利或好處，不一定很清楚，但總要有某程度的權利預期。買回來是你的，你才會出錢購買。這樣看科斯定律，其實是看故老相傳的交易定理（Theorem of Exchange）的一個必需條件，但傳統可沒有説權利要有界定才可以成交。（交易定理是同學們在大學讀到的 Edgeworth-Bowley Box 的分析，我在《科學説需求》第七章與第九章採用了一個遠為簡單清楚的方法處理。）從這角度看科斯定律，只不過是指出交易必須有的局限條件，也即是説某程度上，資產權利（不是説私人所有權）的界定是在市場成交的先決條件了。在卷四我們會再解釋，權利界定不夠清楚，或交易費用過高，是社會成本問題的重心所在，也是行內認為是科斯最重要的貢獻。

第二節：沒有產出的市場

最簡單的市場交易是沒有生產活動的那種，即是《科學説需求》第七章與第九章處理的。沒有生產，於是不論產出成本，好比市場上只有舊郵票或古文物等的存在。可以有貨幣作為媒介或計算單位，交易其實是物品換物品，早就存在的，不是見有價就從事生產活動的情況。

在這簡單的市場內，任何人見某物品的價夠低，會用自己擁有的其他物品或貨幣來購買，見某物品價夠高會把自己擁有的出售，務求該物品的相對價格跟自己的邊際用值看齊。這是爭取個人利益極大化的行為，而每個人在競爭下各自為戰，上文提到的市場均衡會是結果。

需求曲線也是供應曲線

這裡有趣的觀點是：價格下降一個人會多購進，是需求定律，需求曲線向右下傾斜；價格上升這個人會多沽出，其供應曲線是向右上升的。說有趣，因為在這個簡單的市場中需求曲線與供應曲線是同一回事。在某價之上一個人的供應曲線對着鏡子看是需求曲線了（見《科學說需求》第九章）。這樣，需求定律也就是供應定律了。

我在《科學說需求》中幾次強調，不是真有其物的變量可避則避，愈少愈好。"需求量"是經濟學者想像出來的意圖之物，真實世界不存在，但無法避免，在《科學說需求》的第六章我解釋過要怎樣處理才能推出可以驗證的假說。不容易，但可以處理。現在說到供應，供應量也是意圖，也不是真有其物。可幸供應量與需求量類同，可以說是同一回事，要推出假說作驗證，其處理方法是一樣的。

一個天真的謬誤

這裡要補充的，是傳統的分析有一個天真的謬誤。需求定律是說需求曲線一定向右下傾斜，但傳統說休息或休閑——無疑也是經濟物品——價愈高其需求量愈大，因而推翻了需求定律。有關的分析錯得天真。

傳統的等優曲線分析是這樣的。縱軸為金錢收入，橫軸是一個人出售的工作時間，每天工作二十四小時為極限。從工資為零開始上升，一個人供應的時間量跟着上升，即是說休閑的時間下降。到了某一點，每小時的工資升到高處時，這個人每天工作的時間供應量會下降，也即是休閑時間的需求量會增加。翻過來是說，工資上升即是休閑之價上升，到了某一點，休閑的需求量是增加了。休閑之價上升，其需求量也上升，推翻了需求定律。（幾何上，工資上升，工作時間的供應曲線先向右上升，跟着轉彎向左上升。後者是說工作時間減少，休閑時間的需求量增加，推翻了需求定律。）

說這傳統分析錯得天真，因為這分析忘記了一個人不可以每天工作二十四小時還活得久！疲倦得不能動而還有僱主是奇蹟，但那是僱主需求那方面，這裡可以放過。不能放過的是每個人都要顧及自己的生命可能因為工作過度而變得短暫的代價。無論時間工資升得多麼高，真實的工資收入是這工資減除了因為工作時間過長而引起病痛或一命嗚呼的負值。換言之，每天工作到某一點，上升的時間工資，扣除了生命的所值，其實是下降了，代表着休閑之價下降，休閑的需求量因而增加了。這才是需求定律。

第三節：產出市場與合約變化

要通過產出程序的市場的分析是複雜多了。因為生產的成本變化多，我們要處理生產成本與不同的合約安排。二者皆複雜，要向淺中求才可望收穫。這是《經濟解釋》卷二與卷三的主要任務。這裡是先略談大概。同學可能認為這裡說的跟課本教的格格不入，但實際上全部是新古典的傳統加上變化。

從一個小故事說起吧。一九八二年我回港工作後幾個星期，一位同事申請升職，要通過評審委員會。我是委員之一，而作為當時的系主任，我不能一題也不問。我見該同事的研究工作專於生產函數（production function），即是生產要素的投入與成品產出的關係的分析，於是問："如果你在街上讓一個擦鞋童（當時的香港還容許這行業）把你的皮鞋擦亮了，你給他二元做酬報，這二元是購買他的勞力呢，還是購買皮鞋上的光亮？"他答不出來！所有生產函數分析都有這樣的尷尬。

答案是二者皆對：產品市場也就是生產要素市場，二者分不開，只是不同角度看同一市場。

穿珠子的例子

二〇〇八年二月二十一日我發表的《從穿珠子看新勞動法》是舊話重提，但說得詳盡一點：

二戰後幾年，香港西灣河的山頭住着些破落户，是貧苦人家，我家一九三八建於該山頭，相比起來是"豪宅"了。貧苦人家不少以穿珠子為生計，一個人從早穿到晚只賺得四口便飯一餐，魚肉是談不上的了。很小的不同顏色的玻璃珠子，用線穿起來成為頭帶或腰帶，有點像印第安人的飾物，當時西方有市場。由代理人提供珠子、線與顏色圖案的設計，操作者坐在自己家裡按圖穿呀穿的。以每件成品算工資，是件工。

代理人是老闆了。不知是第幾層的代理，他的報酬是抽取一個佣金。佣金多少或是秘密，或是胡說，但不同的代理人不少，有競爭，看他們的衣着，整天在山頭到處跑——交、收、驗貨——其收入也是僅足糊口吧。

上述的平凡例子有幾個絕不平凡的含意。一、從簡單的件工角度看，勞動市場就是產品市場，二者分不開，傳統的經濟分析是錯了的。二、如果政府管制件工的工資，就是管制產品的物價，價管是也。三、沒有任何壓力團體會對穿珠子這個行業有興趣，因為作為代理的老闆，作出的只是時間投資，賺取的只是一點知識的錢，身無長物，沒有什麼租值可以讓外人動手動腳的。四、這些可憐的代理老闆，就是經濟學吵得熱鬧的principal-agent這個話題的主角人物。這題材可不是起自我一九八三的《公司的合約本質》，而是起自我一九六九發表的《交易費用、風險規避與合約選擇》。

如上可見，"勞動力"（生產要素）與"珠子帶"（產品）是不同之物，但購買勞動力與購買珠子帶是同一回事，市場一

也，跟擦鞋童與皮鞋光亮的例子一樣，只是穿珠子多了一些"中間人"。以件工算工資，生產要素市場與產品市場的合約形式大致相同，多了中間人的監管與訊息的傳達只是為了減少市場顧客需要做的工作，以中間人的專業處理成本較低。

時間工資合約有變

讓我們跳到以時間算工資的例子。這裡合約選擇的變化比物品市場與件工合約市場的變化多了不少。嚴格來說，時間工資市場與物品市場還是同一市場，只是合約的形式有別。更重要的是工人的時間本身不是物品，不是顧客要購買之物，雖然原則上市場的任何產品都可以按產品之內的多個不同工人的參與貢獻，以及各種原料的採用與機械的租值等加起來算價。這樣看，產品市場還是生產要素市場，二者一也，只是因為合約不同可以看為市場的性質不同。不要以為物品的顧客沒有那樣瑣碎地算價，市場就改變了。顧客沒有這樣算，但通過產出機構的老闆或中間人，這些瑣碎之價是算了的，跟穿珠子的例子相比較為複雜，但原則還是一樣。

因為時間工資不是直接量度勞動力對產品的貢獻，監管的問題跟件工合約有很大的差別，牽涉到我在卷四提及的"履行定律"。合約的選擇是一九六六年我寫論文《佃農理論》時提出的研究話題。多年過去，這話題的重要性愈來愈明顯。這裡我要指出的是科斯一九三七年提出的公司替代市場不是正確的看法。正確的看法是一種合約替代了另一種。責任或權利的界定會跟着變。詳盡的討論要到卷四才處理。這裡要指出的重點是：生產要素市場與產品市場的分別是合約的形式不同。

第四節：結語

不要以為我吹毛求疵，強把產品市場與生產要素市場作為同一市場看。原則上可以這樣看。另一方面，因為合約不同可以看為市場的性質不同。傳統分開處理往往顧此失彼，失誤頻頻，而漠視了合約的選擇與經濟整體的合約結構，看少了很多。不同產品當然有不同市場，但同樣產品，強把產品市場與生產要素市場分開處理可以嚴重地誤導。話雖如此，恐怕同學們跟不上，有時我也逼着要跟傳統的說法，其實是說不同的合約安排。

要明白市場交易的運作，我們要注意兩件事。其一是合約選擇，其整體要到卷四才處理，但在途中無可避免地會偶爾涉及。第二件重要的事是概念的掌握。在卷一我們處理了與需求有關的概念：缺乏、競爭、均衡、功用、用值、換值、價、量等。卷二轉到收入、利息、投資、財富、資本、成本、租值、利潤、盈利、交易費用等。據我所知，概念的掌握，沒有任何其他科學比經濟學重要。

可以這樣說吧。有解釋力的經濟理論是淺的，但概念掌握得不夠好，這些理論不管用。有實用性的經濟學概念是從人類行為的規律引申出來，可以看為是一類經驗定律。這些概念是從斯密到今天二百多年的思想與觀察的累積所得，是一些重要的思想遺產了。演進過程千山萬水，可惜今天的專業文章沒有教，一般課本說的要不是不夠深入，就是錯多對少。經濟學的概念掌握要頻頻用真實世界的觀察作印證才能學得到家。古往今來，能全面掌握這些概念的經濟學者難有一掌之數。從事經濟學的天才那麼多，這門學問的發展是出了什麼問題呢？

感情用事與躲避驗證

我認為經濟學的失敗有兩個正常的原因。其一是人類的確有斯密說的道德情操，在博愛與同情心的交替中好些經濟學者認為自己有改進世界之能，什麼福利經濟、快樂指數之類的無聊學問於是驅之不去。另一方面，經濟學者中不乏渾水摸魚之輩，為利益團體服務。我的老師阿爾欽教我，經濟學者可以提出政策建議，但地面上是劃着一條清楚的線，參與行動就不是經濟學者應該做的事。不是不可以做，但那是另一種工作。

其二是經濟學者歷來對解釋世事沒有興趣。雖然十九世紀如馬歇爾（A. Marshall）、帕累托（V. Pareto）等大師高舉以事實驗證理論，但他們可沒有真的做過。我的好友施蒂格勒一九五〇年發表長篇大論的文章，痛罵經濟學者歷來不重視以事實驗證假說。今天我們回視經濟學發展的二百多年，只有上世紀五十到七十年代那二十年頭，在驗證假說上熱鬧過一陣。跟着就是無從驗證的文章遊戲了。

要多觀察世事才有可為

經濟學者對解釋世事沒有興趣，是經濟學的概念發展得非常慢的原因。好比成本是代價這個理念，雖然斯密早就用上，但百多年後馬歇爾竟然拿不準。這理念開始來得清晰，要等到我讀研究院的上世紀六十年代，而今天能全面地掌握的只是很小的一撮人。成本中的租值與上頭成本，要到我在十多年前開始寫《經濟解釋》時才打通經脈。其他概念如租值消散與交易費用，一般而言，經濟學者到今天還沒有足夠的掌握。

是的，我們要不斷地觀察市場，不斷地考查世事，頻頻引進經濟學的概念與原則作印證，才能對這些概念與原則有適當的體會。不少朋友認為我的《經濟解釋》難讀，其實不難。因為世界複雜，簡單的概念與原則要用出很多變化才有可為。很多時我重複地再說，是讀者朋友的要求，而每次再說，我會刻意地不回頭看在同一題材上自己說過了些什麼，希望轉換一下角度會有幫助。

參考文獻

A. Smith, *An Inquiry into the Nature and Causes of the Wealth of Nations*. W. Strahan and T. Cadell, 1776.

A. Marshall, *Principles of Economics*. Macmillan, 1890.

P. Wicksteed, *The Common Sense of Political Economy*. Macmillan, 1910.

R. H. Coase, "The Problem of Social Cost," *Journal of Law & Economics*, 1960.

S. N. S. Cheung, *Will China Go Capitalist?* Institute of Economic Affairs, 1982.

S. N. S. Cheung, "The Contractual Nature of the Firm," *Journal of Law & Economics*, 1983.

果樹會結果，農地有收成，結果與收成都是收入。然而，這收入可不是在果熟或稻熟時才得到的。果樹或農作物每天都在變，不停地變，而每一小變都是收入（或負收入），所以收入是一連串的事件了。

第二章：利息理論

利息理論（theory of interest）可以搞得湛深、複雜。這理論是今天在商業學院大行其道的金融學（finance）的中流砥柱。金融學是六十年代初期在加州洛杉磯搞起來的。我的老師赫舒拉發（J. Hirshleifer）是這門學問的"始作俑者"。他把差不多被遺忘了的費雪（I. Fisher, 1867-1947）創立的利息理論重新介紹，然後加上風險（risks）。作為赫師的入室弟子，我曾經花幾個月的時間考慮以投資理論（investment theory，包括今天的金融學）作為博士論文，但解決不了量度風險的困難，放棄了。

不知今天的學者對量度風險有沒有突破。當年的困難是，如果風險可以事前被量度，就沒有風險可言了。後來我又意識到，那所謂風險，好些是交易費用的問題。既然可以交易費用處理，風險不談也罷。今天的金融學，是費雪的利息理論加風險及交易費用，有時加得重複了。

話雖如此，赫師的一位學生（我的師兄）及當時在洛杉磯蘭克公司工作的一位朋友，因為金融風險研究拿得諾貝爾經濟學獎。可見該學問不簡單。可幸的是，從解釋行為的角度看，利息理論可以簡化。複雜的是融資與投資組合的"怎麼辦"的問題。

這裡分析的利息理論，主要是費雪的思想。純從可用的理論衡量費雪的貢獻，二十世紀的經濟學家無出其右。他是耶魯大學的人。該校名滿天下，主要因為費雪。費雪是經濟學中的莫札特。無論是功用分析、指數（index numbers）分析、貨幣理論、利息理論，此君皆立竿見影。他平生論著無數，皆天才之作也。費雪是一個超凡的木匠，是文件存檔的設計大師，曾經莫名其妙地拿得紐約市的一個醫學獎！

我還要指出的，是數世紀一見的經濟學天才費雪，料事如神的費雪，竟然在三十年代的經濟大衰退中破了產，由耶魯大學破例給他居所。（是的，費雪曾經賺過很多、很多錢。）可見學經濟不要存有幻想。解釋行為可以，推斷世事也可以。但賺錢要加上經驗、個性、運情。原則上，局限的轉變拿得準，跟着不再變，經濟學老手的賺錢機會應該勝於街上的人。這是說可以驗證的、有解釋力的經濟學。

費雪曾經非常富有，屬大富，而他在經濟大蕭條時破產收場，不應該貶低他的經濟學問。事實上，任何經濟學大師都可能破產，所謂成敗不足以論英雄。然而，我有無限感慨的是，費雪在大蕭條時破產使人認為他對該蕭條的分析不可信，使經濟學行內的人漠視他的偉大思想多年。另一方面，跟費雪同期的凱恩斯雖然曾經近於破產，但謝世時卻是大富。這使世人重視凱氏的學說，支持大政府的出現。我個人之見，是費雪對經濟學的貢獻遠超凱恩斯。這觀點，我的好友 Axel Leijonhufvud 是不同意的。

第一節：五花八門的利息率

大家知道，利息是資本的回報。以時間算，我們日常見到的利息率有多種：存款利率、貸款利率、優惠利率、銀行拆息率、長期利率、短期利率，以至香港人稱為“大耳窿”的高利貸利率。五花八門，花多眼亂，有兩個原因。其一是通貨膨脹，其二是交易費用。

通脹（或通縮）是指來日的貨幣貶值（或升值），由市場的預期促成。市場有通脹預期（inflationary expectation），利率會上升，而長期利率會高於短期的，因為收回來的錢預期會貶了值。關於通脹或通縮帶來的利率分析，有兩個不容易解決的困難。一、我們不容易知道通脹或通縮的預期是怎樣形成的，或預期的通脹或通縮率究竟是多少。可以見到的通脹或通縮率與預期的不同，而利率是由不可以見到的預期影響的。二、減除了預期的通脹或通縮的實質利率（real rate of interest），因為預期是空中樓閣，我們無從肯定。（邏輯上，實質利率不是金錢利率減通脹率，而是金錢利率減預期通脹率。）這些加上市場的貸款需求常有變動，長期與短期的利率結構（terms structure of interest rates）就成為一門複雜的學問了。

能知半夜事，富貴萬千年。如果一個人能準確地推測通脹或通縮的預期對利率的影響，他可以在政府債券下注，買空或賣空賺很多錢。困難跟股票市場一樣，需要知道的局限變化太多，所以除了碰巧，賺錢不容易。

上世紀七十年代後期與八十年代初期，美國的長期（三十年）債券的回報率高達年息率十九釐，而通脹的預期有明顯迹象下降。較早時，好些經濟學大師投資於長期債券上，跟着中了計，洗身去也。看得相當準，但還是輸得一塌糊塗。我在他們輸得七零八落之際替母親下注，跟着也輸得七零八落，債券經紀找不到我補錢，過了兩個小時債券回升（長期利率下降），幾個月後沽出無端端賺了一倍。

交易費用比風險好用

轉談交易費用與利率的關係吧。主要的關係，是在借貸市場上，交易費用好些時不另外收費，而是加在利率之上。例如，銀行存款利率比貸款利率低，其差距是銀行要賺的交易費用。當然，有時銀行除了利率的差距外，還要收一個貸款費用。

高利貸或"大耳窿"的情況，其年息率往往高達數十釐。錢借出去沒有保障可以收回來，"收爛賬"的費用不僅高，且往往牽涉到黑社會或非法的行為。高利貸是因為借錢出去不容易收回來，風險大而引起的。說風險大是說交易費用高——如果沒有任何執行借貸合約的費用，這種風險不會存在。

這裡我們有一個重要的示範例子：要"收爛賬"可說為風險大，也可說為交易費用高，但不可以二者皆說，因為是重複了。要解釋高利貸及有關的行為，風險大與交易費高你選哪一項？我選交易費用而不選風險。這是因為風險既不易量度，也無法觀察其轉變。另一方面，交易費用是一種局限，原則上我們可以客觀地衡量其轉變。當然，如果交易費用有變，那所謂風險會跟着變，但我們若知前者，就不用再談後者了。是的，數之不盡的風險問題是交易費用問題，而在解釋行為上，以後者處理遠勝。

問題是有些風險我們不容易以交易費用處理。例如，投資的回報是將來的事，將來的事今天不能肯定，所以有風險。這種不知未來的風險我們可以交易費用中的訊息費用來處理，但這比執行合約的費用困難得多。無論怎樣說，有交易費用的選擇，風險的採用可免則免。一九六九年我發表一篇以風險來解釋合約選擇的文章，對後人影響頗廣。今天我後悔當年這樣處理，認為從訊息費用的角度入手較為優勝。

費雪的利息理念，是不管通脹，不管風險，也不管交易費用。費雪之見，是世界如果完全沒有這些因素，利息還是會存在的。這樣的利息是指純真的利息了。

第二節：利息的概念

費雪的利息概念不僅不管通脹，不管風險，不管交易費用，更重要的是不管貨幣。他認為一個沒有貨幣的社會，物品換物品，利息還是存在的。利息的存在不需要有貨幣，但需要有市場。物品交換就是市場了。

你今天給我五個蘋果，一年後要我還你六個，那多出的一個就是利息。這樣的借貸可以有多種物品，或借蘋果而歸還金山橙。我們於是要以物品之間的相對價格來衡量，求出蘋果與橙之間的一個可以共通的交換量度單位（numeraire）。說一個蘋果值三，一個橙值二，三加二是五，就叫"五"是金錢的量度單位吧。費雪的利息理論不用貨幣，但要有市場，有相對價格，有一個替代貨幣的量度單位。

急不及待與投資回報

費雪認為利息率高於零有兩個原因。

其一是消費者不耐煩，急於享受，急於消費。他稱之為 impatience to consume。這好比男人遇到自己心愛的女人，迫不及待，或一個影迷聽到一部好電影上映，要先睹為快也。為什麼一個人會不耐煩而急於享受呢？費雪的解釋是人要先吃才可以活下去。將來才享受，可能已經一命嗚呼，還是早點享受為佳也。

要提前享受，我們願意出一個價，也是價高者得。這個優先享受之價，就是利息。是的，利息是一個價，不是物品之價，也不是時間之價，而是提早消費之價，優先享受之價是也。

在落後之邦，民不聊生，生命短促，利息率會比較高。即使不管通脹或交易費用，窮人還願意付較高的利息，是因為前路茫茫，來日無多，願意付出較高價早一點享受。

費雪認為利息率高於零的第二個原因，是投資的機會（opportunity to invest）。投資是有回報的。你將一桶新釀的葡萄酒放在一個山洞內，過了幾年，酒味醇了，價值的增加就是回報。你種下一棵樹後完全不管，樹還會自己生長，若干年後，木已成材有市值，是投資的回報。

在物品或資源（resource）缺乏的情況下，利息是提前享用或預先投資的價，跟任何價一樣，是在市場競爭下決定的。這個價是因為時間有先後而起，而物品或資源的現值（present value）與期值（future value）之別就是利息。因為時間有長短之分，我們就以一個同期的利息率乘以現值來算出利息。

第三節：收入與財富

費雪的名言：收入是一連串的事件（Income is a series of events）。這是他的曠世傑作起筆的第一句，只這一句就是第一段，可見他重視這句話。他可沒有解釋。怎樣解釋呢？我替他作出的解釋是：果樹會結果，農地有收成，結果與收成都是收入，然而，這收入可不是在果熟或稻熟時才得到的——果樹或農作物每天都在變，不停地變，而每一小變都是收入（或負收入），所以收入是一連串的事件了。是的，果樹開花是收入，結子是收入，增長也是收入。收入的變動不一定天天一樣，可以時高時低；也不一定是正數，可以有時增長，有時下降。

一個果園的果子長大及成熟都有價，是收入，但果園本身之價是永無止境的收入（包括果樹再植的收入），減去成本，以利率折現而得的現值。如果一個人只擁有一個果園，其他什麼資產也沒有，這果園的現值就是這個人的財富（wealth）。收入是川流，有時間性。財富是現值，本身沒有時間，是靜止的。

年金收入的概念

折現的辦法是以未來的收入除以利率，但因為未來的收入有遠近之分，高低不同，所以折現的方程式就有了變化。這些方程式任何有關的書本都可以找到，這裡不列出來了。同樣的收入，經過利率的折現，較遠的現值比較低，較近的現值比較高，而財富是所有收入以利率折現後的現值加起來。

未來的收入不僅可以高低不平，而又不一定是永遠不停的。這樣，說一個人要爭取最高的收入會模糊不清。但如果我們把所有未來或預期的收入以利率折現加起來而求得財富，再把這財富乘以利率，我們得到的是另一種收入，叫做年金收入（annuity income）。年金收入不一定是以年算的。只要財富不變及利率不變，年金收入就年年不變，或期期不變。年金收入只是個概念，但好用，因為爭取最高年金收入與爭取最高財富是相同的。原則上，財富是可以觀察到的，所以用增加財富作為個人爭取的目的，可取。弗里德曼（M. Friedman）一舉成名的《消費函數理論》（A Theory of the Consumption Function）重視的固定或永久收入（permanent income）與我們這裡說的年金收入相同。記着，年金收入與財富的比率是固定的，所以個人爭取的是哪一種都一樣。

弗里德曼大勝凱恩斯

這裡有一個重要的話題。經濟不景，凱恩斯學派主張政府大手花錢，因為會有本科生讀過的增加國民收入的乘數效應，從而可救經濟。然而，受到費雪的影響，芝加哥的弗里德曼認為該效應無關宏旨，因為市民的消費是由財富或固定（年金）收入決定的，而政府花錢只能增加過渡性或暫時性的收入（transitory income）。二〇〇八年美國出現的金融危機是難得一遇的驗證機會。國民的財富大跌了，政府跟着大手花錢，兩年過去，這花錢效果微不足道。弗老對，凱氏錯。二〇一〇年八月二十四日我在《凱恩斯的無妄之災》中寫道：

> 金融危機出現後，關於凱氏思想的爭議主要是乘數效應。認為這效應微不足道的芝加哥學派被迫到防守那邊去。二〇〇九年薩繆爾森謝世，傳媒的追悼文字比二〇〇六年弗里德曼謝世多出不少，反映着凱恩斯學派抬頭。
>
> 美國政府要大手花錢一時間成為熱門話題。管用嗎？眾說紛紜，支持的不敢說乘數效應是課本教的那麼高。他們說一點五倍。芝加哥學派說多半會低於一，其中一位說可能低於零。我當時怎樣看呢？認為該乘數無關宏旨，因為政府花錢只能增加過渡性的收入，救不了經濟。
>
> 行內認為乘數效應甚微的主要原因是一個擠出理論：政府花錢會把甲項產出轉到乙項去。大家同意，失業率愈高，擠出效應愈小。我認為遠為重要的是政府花錢只能增加過渡性的收入，於事無補。後者是費雪與弗里德曼的學問了。
>
> 費雪指出，財富是收入除以利率。這收入是年金收入

(annuity income)，是預期性的，到了弗里德曼的消費函數就稱做固定或永久收入 (permanent income)，也是預期性。消費是按財富或預期的固定收入來決定的。因此，不管政府怎樣花錢，除非能增加國民的財富或增加國民的收入預期，這種花錢救不了經濟。我當時不看好，因為金融危機導致美國的國民財富暴跌了。那裡的一般市民的財富主要是自己住所的市值，他們看着自己擁有的樓房之價來策劃退休之計。上升了很多的樓價一下子暴跌——財富一下子暴跌——政府不容易以花錢的方法把國民的財富提升。別無選擇，政府要設法把國民的收入預期提升，但美國的經濟結構跟其他先進之邦差不多，墨守成規得太久，不容易有彈性地搞出變化。

利息是收入的全部

如果沒有市場，利率不存在，財富也就不存在了。這是因為財富是收入以利率折現，而利率是一個市價。在沒有財富的情況下，解釋行為我們或可用“功用”數字來量度個人爭取的目的，或用邊際的收入轉變。二者我喜歡用邊際收入轉變——因為“功用”是空中樓閣，可以不用我不用。

回頭說財富乘以利率是（年金）收入，而倒轉過來，這收入除以利率就是財富了。這個簡單不過的方程式非常好用。例如，衡量投資，我們可以大略地估計這投資會帶來的年金收入，除之以一個大約可靠的利率，求得現值的財富，跟着再與該投資的現值成本相比，就會得到一個大約的投資選擇答案。不一定對，但知得快而又比較可靠。

財富乘以利率是（年金）收入，是一個重要的收入概念。另一方面，財富乘以利率是利息。於是，利息與收入相等。這就是費雪的有名格言：利息不是收入的局部，而是收入的全部。(Interest is not a part of income, but the whole of income.) 費雪的格言甚多，盡皆精彩。

我們要深入一點地理解"利息是收入的全部"這句格言。一個人擁有一個果園，有房子，有知識，有勞力，有家庭，等等。如果所有資產都有市場的話，那麼果園的收入，房子的租值(是收入)，知識與勞力得來的薪酬(是收入)，家庭的天倫之樂(也是收入)，這些多項連串的收入，折現後加起來，就是這個人的財富；而這財富乘以利率，是他的年金收入，也是他的利息。(當然，天倫之樂一般沒有市場，不能折現算進財富。)

資本的概念

資本(capital value)是資產(capital asset)的市值，像財富一樣，是現值，也是收入以利率折現而得的。資本與財富的分別小得很。財富是所有收入的折現(income discounted)，而資本是所有收入的折現減去現在一時的收入；這樣，資本是將來收入的折現(future income discounted)。但"現在一時"可以看為很短，短得現在收入(present income)近於零。這樣，資本與財富相同。

費雪的一個重要貢獻，是把資本的概念一般化。費雪之見：凡是可以產生收入的都是資產，而收入折現後的現值是資本，也是資產的市價。土地是資產，勞力是資產，知識是資產，醫生牌照是資產，相貌是資產，家庭是資產……這些都會帶來收入，把收入以利率折現就是資本了。一個果園是資產，水果的產出所值是收入，收入以利率折現是資本，也是財富。

費雪一般性的資產與資本的概念，不僅與馬克思的資本概念有很大的區別，而就是跟今天經濟學課本說的也往往不同。

例如課本上提到的生產要素（factors of production），往往是勞力歸勞力，資產歸資產。這是不對的，因為勞力也是資產。在課堂上我問學生：馬耕田，馬是資產還是勞力呢？學生或答不知，或有分歧。費雪之見，馬是資產，因為可以增加收入。所有生產要素都是資產。那麼作為生產要素，馬應該稱為什麼呢？我的答案是：馬就是馬。是的，馬是馬，人是人，地是地，工具是工具，知識是知識，是不同的生產要素，皆資產也。(註：這裡說的資產指 capital asset，是可以協助生產的要素，不是課本指的 capital 或 capital value。好些教材弄錯了。作為生產要素的是資產，其市場價值是資本，前者是 capital asset，後者是 capital value。)

資本的出現要有市場

拙作《科學與文化》第四章指出，一九八四年我利用費雪的"資本"概念來準確地推斷中國的經濟改革不會走回頭路：

> "資本"的經濟內容說什麼呢？主要有三點。一、費雪之見，資本是資產使用時帶來的預期收入以利息率折現而得的價值。二、沒有利率無從折現，所以不會有資本，而利率的存在不需要有貨幣，也不需要有借貸，但一定要有市場。三、交易或訊息費用要夠低，從而促成生產要素有價。有了這些我當時沒有寫出來的資本理念基礎，我只看交易費用的轉變就準確地推斷了中國會走的路。
>
> 一個例子可以示範上述的理論架構的推斷威力。當一九八四年見到合同工（即是僱主與工人簽的工作合約）開始替代拿着鐵飯碗的國家職工，我立刻公開說中國的經改不會走回頭路……為什麼見到合同工的出現我會是那麼肯定中國當時的經改不會走回頭路呢？因為合同工是說勞動力在市場有價，

而這個價帶來的勞力收入，以收入的時間先後的不同價值來算利率，可以把未來的預期收入折現而成資本。是的，從費雪的理念衡量，從國家職工轉為合同工，勞動的人變為資本的擁有者。走回頭路要把這些新興而又跟着無數的貧困勞動者的小資本廢除。怎麼可能呢？

投資與儲蓄

最後要介紹的是費雪範疇內的投資（investment）概念。投資是消費在時間上的權衡輕重（Investment is the balancing of consumption over time）。要明白這個概念，我們要回到收入的定義那裡去。上文所述，收入是財富乘以利率，於是與利息相同。這個定義可從另一個角度看：收入是不削減財富的最高可能消費。（Income is potential consumption without trenching on wealth.）

舉一個例。如果一個人的財富是一百萬，年息率是八釐，他的收入是每年八萬。要維持財富不變，這個人每年的最高可能消費是八萬，與收入相同。然而，這個人第一年的最高可能消費是一百零八萬（財富加一年的利息），但這樣消費他的財富在明年會下降至零，再沒有財富或收入了。另一方面，這個人一年的最低消費是零（寧死不消費也）——這樣，過了一年，他（名下）的財富會增加到一百零八萬。

上述的例子，不削減財富的最高可能消費（收入）是每年八萬，但若只消費六萬，餘下來的二萬是儲蓄（saving），而從增加以後消費的角度看，這二萬是投資。儲蓄與投資是同一回事，只是角度不同。

投資是放棄今天的消費來換取明天的消費。今天晚上你多讀幾頁書（不趕着享受睡覺），將來的收入會增加一小點，是投資。你在後園用兩個小時種菜（不看電影享受），是投資。明天有重要的工作，今天晚上早一點睡（不看電視了），也是投資。投資是權衡未來的消費輕重的行為。

你購買了一幅畫掛到牆上，認為將來會升值。概念上，你可能一起做了兩件事。一、你欣賞該畫時，是消費；二、買價低於一個時期的收入但高於欣賞所值那部分，是儲蓄或投資。如果買價高於一個時期的收入，你的財富是局部轉移到畫上去。當然，任何投資都可以血本無歸，但那是意外的效果，不是意圖。消費高於收入，是負儲蓄，也是負投資，將來的財富與收入皆會下降。

第三章的第一節，我會指出凱恩斯傳統的宏觀分析對投資與儲蓄的嚴重失誤。掛畫的例子會更為詳盡地分析。

第四節：收藏、消費、職業的選擇

在利息理論的範疇內，消費的選擇不是物品本身的不同而是時間的先後。實際上同物品但不同時間，可以看為不同物品，因為先後是另一類不同物品的選擇。早消費比遲消費來得貴，而這提早之“貴”是相當可觀的。舉一個例。如果市場的年息率是八釐，以複息算，今天的一元九年升一倍。要是你今天決定不請朋友吃晚餐，節省了一千元，十八年之後，你的財富會增加四千元。

複息的殺傷力

不要以為一些古物之價上升了很多倍就認為是好投資——雖然以中國為例，從二〇〇〇到二〇一〇年古物之價的上升幅度大有可觀。一七七六年斯密發表的《國富論》，是經濟學歷史上最有名、最偉大的論著，後來震撼了西方整個學術界。

一七七六年初版時該書是一點八英鎊，二〇〇一年（二百二十五年後）的市價大約是十萬英鎊，上升了五萬五千多倍。那是難得一遇的偉大論著的初版的難得一見的升值（後一版差很遠）。你道以複息算，每年的回報率是多少？答案是4.856釐。從投資的角度看，這回報率算是不錯，但從持久收藏的角度看，這回報率非常高，是難得一見的。且讓我列出一些數字，好叫讀者能體會一下時間的寶貴。

1776年£1.80的2001年所值

年息率（複息算）	2001年所值	上升倍數
2%	£162	90倍
4%	£14,586	8,103倍
6%	£1,312,949	729,416倍
8%	£118,187,944	65,659,969倍

是的，二百二十五年前的一點八英鎊的二〇〇一年所值，以年息率八釐複息算，是1.18多億英鎊，上升了六千五百多萬倍！這可見，只為投資而收藏，不重視享受收藏品本身的消費（consumption）所值，除非時間巧合，不容易是一項好投資。斯密的《國富論》初版是經濟學論著中長期收藏最好的投資，扣除通脹的實質複息年率約兩釐。

不要誤會，我不是説因為有利息的複算，收藏通常是虧本的投資。賺錢的例子是有的。一九九〇年收藏林風眠的畫，二

○○○年算複息後會虧蝕；但一九九七年收藏，二○○一年出售，算上複息，會賺錢。一九八○年收藏朱屺瞻的畫，十多年後沽出，賺錢；一九九○年收藏，八年後沽出，虧本；一九九八年收藏，二○○一年沽出，賺錢。收藏品之價在時間上可以有大幅度波動，不容易看得準。但久藏的賺錢概率不會站在你那一邊，因為複息的殺傷力甚大。

有時從長期看，一些藝術家的作品可以經得起時間複息的蹂躪，但另一些大名家就沒有那樣幸運了。一九五○年你收藏梵高或塞尚的畫，二○一○年算上複息也賺大錢，但雷諾就不成了。不是碰巧那麼簡單：有些專家看得相當準。我有兩位朋友可以在收藏品的市場中，買賣而謀生計；不是開店經營的方法，而是在市場或拍賣行買賣賺錢。這些朋友要做很多研究調查的工作，賺錢是工作的收入。我佩服這種人的能耐。

大約從二○○○到二○一○這十個年頭，中國古書畫或文物的回報率高到天上去，反映着一個大國有着史無先例的經濟增長。我會在第四章分析財富累積的倉庫理論時再回頭說收藏。

消費圖案的選擇

純從消費的角度看，依照費雪的理念，消費的早或遲是兩種不同的物品，較早的比較遲的可取。這兩種"時間"物品之間可以繪出一條等優曲線，也是內凸的，而其弧度代表着消費者個人的邊際時間替換意圖（marginal time preference rate）。物品是較早或較遲的選擇，二者之間的市價就是市場的利率了。在均衡點上，邊際時間替換的意圖與利率相等。

在消費與利息的關聯上，費雪作了另一項重要貢獻。他認為一個人從少年到老年，其消費的意向可有轉變，而人與人之間的平生消費意欲圖案（time shape）不一樣。一些人像李太白，認為“天生我才必有用，千金散盡還復來”，於是“今朝有酒今朝醉，明日愁來明日憂”。這種人喜歡少壯時花天酒地，大享其樂，老來再作打算。另一些人卻像齊白石，少壯時每分錢都要算得準，永不亂花，到老時家藏百萬，單是石章的收藏就令外人羨慕了。再有一些人，在生命的消費上喜歡平平無奇，少年如是，老年如是。可能還有另一種人，費雪沒有提及的，喜歡生命的消費享受如波似浪，有上有落，緊張刺激，時而豪奢，時而挨飢。

如上的幾種人，他們會選怎樣不同的職業呢？費雪的答案：選擇整生收入最高的職業——如果不管不能用金錢量度的收入——準則只有一個，那是選財富（wealth）最高的。

消費圖案與借貸市場

讓我們假設非金錢的收入（non-pecuniary income）不存在，例如聲望、名銜、受外人尊敬等不需要考慮。以一個聰明貌美的女孩子為例，假設她的職業選擇有如下三項：一、可選歌女生涯，賣歌兼賣笑。二、可選做醫生，花上十多年的時間求學讀書，然後懸壺於市。三、可選做文員，不求有功，但求無過，讀書不用多。

歌女那項職業，年輕貌美時收入特別高，但年紀漸長，收入開始下降，到後來變得“門前冷落車馬稀”。醫生那項職業，求學之際收入是零或負值，跟着做見習醫生，收入甚微，三十歲後，懸壺於市，顧客人數慢慢地增長，四十歲後，收入滾滾來。文員呢？收入終生平平，不過不失也。

費雪之見，是無論一個人對自己的平生消費意欲的圖案是選走李太白的路，或是齊白石的路，或是平平穩穩，又或是有上有落，這個人的職業選擇是不應該受到該職業的平生收入圖案所影響的。這是因為有借貸市場，選擇職業的人可以先使未來錢，先借用而後歸還；又或是先借出去，或投資於什麼長期債券上，到老來收入大有可觀。

這樣看，費雪得到一個重要的結論：只要選擇收入折現後財富是最高的職業，然後在借貸市場調整，選擇任何一種平生消費圖案，這個人的平生消費都會是最高的。

回頭說那位年輕貌美的女孩吧。選做歌女，但希望年老時才增加消費，她可在收入高時借出去，或作投資，老來有回報。選做醫生，可先借錢作知識投資，到有可觀的收入時才歸還。通過借貸市場調整，平生的消費圖案要怎樣就怎樣，而只要收入折現後的財富是最高的，消費圖案怎樣也是最高的消費水平。這解釋了為什麼作為假設，爭取最高財富比爭取最高收入好用得多。除非是指年金收入，其他收入時高時低，容易出錯。

以上的分析有幾個比較重要的含意，應該細說一下。

歌女生涯的闡釋

（一）比較歌女與醫生這兩個選擇吧。早期收入歌女的較高，醫生的較低，而因為利息率是正數，同樣的收入較早的折現後財富較高。要是歌女一生的總收入與醫生的總收入相等，那麼財富一定是歌女的較高，選擇此職理所當然——這裡不管非金錢收入。

要是作為醫生的一輩子總收入較高，那麼利率夠低會使醫生職業有較高的財富，而利率夠高則會使歌女的財富高於醫生的。那是說，如果醫生的總收入是較高的話，有一個利率會使歌女與醫生的財富相等。市場利率若高於此利率，歌女生涯可取；低於此利率，醫生之職優勝。如果職業的投資有成本，那麼減去成本我們還有一個使歌女與醫生的財富相等的利率。這利率是費雪發明的，有個名堂，叫做"成本以上的回報率"(rate of return over cost)，是作為兩個投資選擇的分界：市場利率高於此選甲，低於此選乙。

這解釋了為什麼在貧困之邦，賣笑的少女比較多。利率高，或借不到錢，來得早的高收入會有較高的財富，因而使平生的消費有較高的水平。多年前，臺灣的娼業是合法的。後來改法例，娼業非法。改得容易，是因為經濟增長有了成就，借貸市場的高息再不普遍，費雪的"成本以上的回報率"變為高於利率，年輕人的求學意向於是變得普及了。上世紀五十年代日本的經驗也如是。

非金錢收入的處理

（二）非金錢的收入當然是重要的考慮。什麼醫生呀、教授呀等稱呼，世俗之見，是比歌女、侍應等"高尚"：聲譽本身是一種資產，有金錢或金錢以外的收入。亞洲人喜歡在名片上大做文章，介紹自己，把名銜印得花多眼亂。好些時，名片上的名銜其實不值錢，但很好看。在香港，你要在名片上印上自己是十間公司的董事長，所費無幾，而你是不需要說謊的。這種我個人認為是無聊的行為其實大有道理：非金錢的收入也是收入，而有時可以利用"名片"賺得一點金錢甜頭。

我自己也重視非金錢的收入，是另一種。現在我絞盡腦汁，儘可能把《經濟解釋》修改得好一點。但修得好一點收入不會增加。我抽着煙斗，以慢性自殺的方法來修，其投資可謂大矣。但我為的可不是金錢收入，而是要對自己有點交代，可以自傲一下，博取一點心安理得之快。這些也是非金錢的收入。作為學者，最重要的非金錢收入應該是文章歷久傳世了。這方面我是得天獨厚的，可惜我要等到自己年逾七十，回顧自己數十年前的作品的命運時才知道。要是我早就知道，自己的文章會有歷久傳世的能耐，當年我會放棄不少其他的工作。

處理非金錢收入不容易，但有兩種方法。老師阿爾欽（Alchian）喜歡以功用（utility）來量度（九十年代後期他似乎改變了主意）。功用理念的困難我談過了，而功用是不可以折現而求得財富的。我個人喜歡用的方法比較簡單，在卷一提及過：非金錢物品（non-pecuniary goods）可用金錢物品（pecuniary goods）替換，在邊際上求得非金錢物品的金錢所值。不容易，但在邊際上可以做到。非金錢物品雖然可以金錢物品替換，但不可以在市場成交。這樣，好比父母對子女的愛，財富的量度不能算進去。解釋行為我們只能從收入邊際轉變的角度入手。說得再清楚一點吧。沒有市場不會有利率，沒有利率算不出財富；父母的愛不能在市場成交，因而不能以財富量度，雖然那是非常重要的經濟物品，在邊際上可用金錢物品替換。

經濟增長的一個謬誤

（三）上世紀五十年代大行其道的經濟發展學說，好些學者建議落後的國家若要有較快的經濟增長，政府要鼓勵高收入來得比較遲的行業，放棄高收入來得比較早的。不要急功近利，是當年經濟發展學說的一個座右銘，說來是很好聽的。

費雪之見，是急功近利如果能帶來較高的財富，攻之為上也。這是因為財富較高，再投資會帶來長期的較高總收入，而這是代表着較高的經濟增長了。百多年前的美國，農地的保護

（conservation）主義者有很大的聲浪。這些保護英雄認為土地若不停地耕種，過了幾年會用盡泥土中的養料，使農業將來的收入減少。可幸當年美國的農民沒有聽這些英雄的話，他們急功近利，增加財富，再投資。這是美國後來發達的一個原因。

第五節：收成的時間

假如你將一桶新榨的葡萄酒放進山洞內，讓它變醇，你要等多久才拿出來應市呢？樹是會長大的。植樹者要在什麼時間把樹砍下來，把木材出售？

如果市價不變，酒與樹的價值增長是先快而後轉慢，達一頂點，之後就轉為下降了。這增長的變動是邊際性的。費雪稱之為"內部回報率"（internal rate of return，簡稱"回報率"）。費雪的收成時間答案（Fisher Solution）是：要得到最高的財富，砍樹收成的時間是樹的增長回報率與市場利率相等。若木材之價與利率不變，那麼今天植樹，收成的時間今天決定或到時才決定都是一樣。利率較高，收成的時間會較早。

浮士曼先拔頭籌

這個顯而易見的答案有爭議，而最精彩的伏着是早在一八四九年一位德國林業家提出來的。這位專家的名字是浮士曼（M. Faustmann），其答案本來早已失傳，但一位我後來認識的朋友（M. Gaffney，此君是半天才半怪人，甚有文采，極力主張亨利·喬治的單一稅制，只抽地稅，近於我們雍正皇帝曾經推行的"攤丁入畝"），不知從哪裡找到了浮士曼的失傳秘方，一九五七年在美國一個農林站以劣紙打字複印，出版一書介紹。這本不起眼的近於自製的書，被人棄於芝加哥大學的一個廢物箱內，我的老師赫舒拉發當時在芝大，從廢物箱拾起來，驚為天書，那浮士曼答案（Faustmann Solution）就成了名。

浮士曼答案與上文簡述的費雪答案的主要區別，是費雪植樹只植一次，收成一次，而浮士曼卻是不斷輪植，一次又一次地收成。這樣，包括着利率的決定性，浮士曼的收成時間來得比較早，或每次植樹的時間比較短，而更重要的是財富比費雪答案的高。

浮士曼答案的分析複雜，一九六三年的春天我在赫舒拉發的課中見到，心想，那樣複雜的分析，一般的業林者不可能明白，又怎可以用浮士曼答案來解釋他們收成的時間呢？當然，依照阿爾欽的觀點，適者生存可以解釋業林者的行為，但我認為答案有好幾方面。

假設不同答案有別

一九六三年在課堂上，我對赫師說，如果世界上有無限的林地，植樹者無需輪植，要多植，找新地不簡單嗎？樹要輪植，是因為土地有限，而土地若因為有限而缺乏，地的本身是有租值的。我於是問：為什麼不簡單地加上土地租值，得到的答案是否與那複雜的浮士曼答案相同呢？

赫師當時認為我問得好，但租值要到一九七六年薩繆爾森（P. Samuelson）分析浮士曼答案時才被提及。加上薩氏的分析，收成的時間選擇就有更多的可能了。如下的選擇是我得到前輩的啟發——不盡同意——而想出來的。所有選擇都假設收成時砍樹及搬運沒有費用。

（一）如果林地是無限的，而植樹的投資成本（植樹費用）是零，那麼地租是零，樹（木材）的市價也是零。木材於是予取予攜，什麼時間收成都沒有分別。利率是無關的。以樹的增長率作回報率沒有意思，因為以其他物品作價，木材之價是零。

（二）如果林地無限，地租是零，但植樹有費用，這樣，費雪的答案是對的。既然地租是零，無需輪植。但因為有植樹費用，木材有價，收成時間是樹增長的回報率等於利率。在競爭下，因為沒有地租，預期的收成折現後的財富會與植樹費用的現值相等。

（三）如果林地有限（地租高於零），但植樹沒有費用，浮士曼的輪植答案是對的。地租是在競爭下，浮士曼的輪植所得的收入。轉過來，只要在競爭下地租被市場決定了，植樹者不需要懂得浮士曼的分析才知道收成的時間，因為收成不準時他們交不起租金。問題是，植樹沒有費用的浮士曼答案，收成的時間不一定比費雪的來得早。這是因為費雪的答案不可能沒有植樹費用。若費雪的有植樹費用，沒有地租，浮士曼的有地租，沒有植樹費用，那麼收成誰早誰遲就要看地租與植樹費用哪方面比較高了。

（四）如果林地有限（地租高於零），而植樹有費用，那麼浮士曼的輪植收成的時間會比費雪的為早。這是因為浮士曼多了地租。植樹費用與地租的並存，回報率一定要較高才可以打個平手。這樣，收成會提早了。

（五）如果林地有限（地租高於零），但沒有植樹費用而利息率又是零的話，收成的時間是樹增長的平均回報率最高的那一點。這剛好是鮑爾丁（K. Boulding）提出來的有名答案（Boulding Solution），在五六十年代吵過好一陣。眾人皆說鮑爾丁錯了，這裡我指出在某些局限條件下，鮑爾丁是對的。

上述可見，在收成時間的選擇上，經濟學者要不是忘記了地租，就是忽略了植樹費用，或漠視了利息率。好些書本只顧利率而忽略了地租與植樹費用。這樣，木材在市場上一文不值，亂砍可也。另一方面，經濟學者忽略了的，是在競爭下，地租愈高，或植樹費用愈高，以其他物品作價，木材之價就愈高。樹的增長回報率曲線，若乘之以木材市價，就會因為地租或植樹費用的變動而變動——曲線會上升或下降。

乳豬的運情

讀者若不明白以上的分析是不重要的。重要的只有一點：在資源缺乏的情況下，其他因素不變，利息率愈高收成的時間愈早。

在真實世界中，植樹或釀酒往往要很長的時間，而在這時間內產品的市價與利率可能有很大的波動，所以上述的分析不可以墨守成規。若木材之價急升，樹的收成會較早。但利率急升卻有一個疑問。這是因為利率上升會導致新房屋的建造下降，木材之價會下跌，彼長此消，要提早還是推遲收成就很難說了。釀酒可沒有這後者的困難：利率上升，雖然會削弱消費的意圖，但因為喝酒只是消費的一小部分，早點把酒從山洞拿出來應市是上策。

其他因素的處理永遠不容易。以經濟理論解釋行為或現象，我們要有多方面的考慮，因而對世界要知得很多。你擁有一個果園，利率急升，你不一定會提早收成。這是因為水果未熟時收成，你可能破產。要提前水果收成的時間，充其量你只有幾天可以考慮。蔬菜是另一回事。提早收成的蔬菜，像乳豬一樣，以每公斤算，其市價往往比成長後的為高。這解釋了為什麼在中國，上世紀八十年代實質利率高企之際，蔬菜小而美味，乳豬乳狗的菜式盛行。

第六節：分離定律

分離定律（Separation Theorem）也是費雪發明的，雖然這名稱是後人所起。這定律的分析架構被廣泛地引用到其他的分析上（例如對外貿易的分析）。

分離定律是說在有市場、交易費用夠低的情況下，一個人的投資與消費可以分開來作決策。這與我們在前文提過的——投資是消費在時間上的權衡輕重——沒有衝突。今天投資多了，明天的消費可以增加。然而，如果有借貸市場的存在，而又只有一個明確的利率，一個人可以借而投資，可以借而先消費，也可以貸款出去而後連本帶息收回。

有單一利率的借貸市場，消費的均衡點是利率與個人的"邊際時間替換意圖"相等（見本章第四節），而投資的均衡是利率與回報率相等（見本章第五節）。這樣，在整體的均衡上，邊際替換等於利率等於回報率。重要的是，因為投資歸投資，消費歸消費，今天的投資與今天的消費可以完全沒有關聯。你可以盡傾所有投資於一個項目上，然後借錢來花天酒地一番。這就是分離定律。

還有兩個重點需要補充。其一是在好幾個經濟學者曾經提出的衡量投資的準則中，只有一個永遠對。那就是爭取最高的財富。利率等於回報率是一個準則，但那只是必要但非充分的（necessary but not sufficient）。這是因為投資的回報曲線可能彎上彎落，有兩個或以上的同樣回報率。例如建造度假村，投資可大可小；從小加大，有多個選擇，其回報曲線往往是波浪形的。有幾個與利率相同的回報率的選擇，首選是折現後財富最高的。

第二，若借貸市場有可觀的交易費用，分離定律不容易成立。例如，借錢的利率若高於存款利率——這是一般的情況——投資者可能不願意借錢消費。這樣，投資與消費的決策就不能分離了。

第七節：結語

關於投資與利息的分析，好些是針對"怎麼辦？"，而我們這裡分析的，主要是"為什麼？"。後者是為解釋行為或現象而問的。選出對解釋"為什麼"有幫助的不容易，但本章選出來了。

關於利息及有關的概念與理論，我選的大部分是費雪不改，而其他是從費雪的思想演變出來。百年難得一見的經濟學天才，壟斷是應該的吧。奇怪，費雪教書數十年，沒有出過一個精彩的學生。一九六八年哈里•約翰遜（H. Johnson）對我說，費雪天分太高，學生怎樣也跟不上，是以為難。余生也晚，不能拜費雪為師，是學問生命的不足吧。

我修改了費雪的《利息理論》（*The Theory of Interest*）裡的一個概念。我選取了在他之後的收入是"可能"（potential）的消費，而否決了他所說的收入是"實際"（actual）的消費。要是我選"實際"消費為收入，其他的概念就加不起來。維護費雪的一些朋友，認為他說的是"可能"消費，但當年我讀來讀去也認為他說的是"實際"消費。同學不妨找費雪這名著的第一章細讀，自己判斷。

參考文獻

I. Fisher, *The Theory of Interest*. Macmillan, 1930.

M. Friedman, *A Theory of the Consumption Function*. Princeton University Press, 1957.

M. M. Gaffney, *Concepts of Financial Maturity of Timber and Other Assets*. North Carolina State College, 1957.

J. Hirshleifer, "On the Theory of Optimal Investment Decision," *Journal of Political Economy*, 1958.

上世紀六十年代施蒂格勒、阿爾欽等人從訊息費用的角度解釋失業。這角度應該對，但我認為他們摸不準，有套套邏輯的味道。訊息費用要放進哪裡才對呢？這是大麻煩！我把它放進公司，再在公司的合約中放進以時間算工資的合約，放對了，對得非常對。一子對，整個失業難題變得豁然開朗，得到的多個假說不僅容易驗證，支持的事實多得很。

第三章：宏觀分析的失誤

儘管我不同意，經濟學有微觀與宏觀之分。微觀是指價格理論，別無其他。傳統上，價格理論分析資源使用與收入分配，其廣闊度通常止於市場。起自凱恩斯的宏觀經濟學不是指國家或人口的廣闊度，而是着重於傳統微觀分析少注意的項目，例如國民收入、政府債務、調控政策、失業話題等。有些題材，例如國際貿易，是微、宏二觀皆涉及的。

二百多年前起自斯密的傳統，資源使用屬微觀，收入分配屬宏觀，但他沒有用上這些術語。凱恩斯重視失業與經濟不景，宏觀的範疇改變了。貨幣問題與商業周期的分析一般落在宏觀的範圍。上世紀六十年代興起的新制度經濟學，今天搞得不稱意的，屬微觀。如果我們不管不稱意的一面，回復到六十年代的看法，這門"新"學問了不起。當時新制度經濟學的出發點是從局限轉變的角度看世事——我是這樣看——其分析牽涉到的局限變化遠超傳統的微觀與宏觀分析，原則上這發展可以圓滿地處理這二觀有所不逮的話題。可惜當年持有這看法的行內朋友不多，而後來還堅持下去的只有幾個人。博弈理論與無從觀察的行為術語引進得太多，壞了大事。

我自己堅持的路向是清楚明確的，可惜不易走：真實世界的局限要調查得深入。範疇也清楚：理論主要是需求定律，把所有的局限轉變闡釋為價格或代價的轉變，把所有約束競爭行為的安排處理為合約安排。這樣，無論宏觀、微觀、貨幣觀、政治法律觀等話題皆可通過這範疇作分析。局限轉變是真實世界的事，要有充分的掌握；需求定律要運用得老到。因為局限轉變可以翻為價格或代價轉變，這範疇屬價格理論。不容易，局限轉變的掌握往往是艱巨工程。可幸操作熟習了會容易一點。世事重複，經驗可教，有解釋力的經濟學要講年歲。

從來不用傳統的宏觀分析作推斷，但回顧一九八一年起，自己寫下的"宏觀"推斷可真不少；也有好些沒有寫下來，只是對朋友說了。比他家的推斷較為準確嗎？讀者可自行判斷。我不走傳統宏觀分析的路，因為我認為這分析有嚴重的失誤。

凱恩斯——尤其是凱恩斯學派——對世事的解釋力弱不是我首先提出的。上世紀六十年代不少學者注意到。當時他們要發展"微觀基礎的宏觀經濟學"，沒有大成，可能因為"微觀基礎"掌握不足。局限的轉變坐在辦公室內不容易猜中；需求定律不是簡單的學問——讀者可參閱卷一《科學說需求》。

讓我分點說說傳統的宏觀經濟學的不足處吧。是當年的"宏觀"，我沒有跟進後來的發展。認識幾位新宏觀的主將，但沒有跟進他們的學問。比我知得多的同學要看看本文提出的"宏觀"失誤是否還存在。

第一節：儲蓄與投資不是兩回事

凱恩斯及其學派把儲蓄與投資看作兩回事：前者是漏失或漏出（leakage），使消費減弱因而導致不景及失業；後者是注入（injection），因而增加經濟活力。該理論說，一個經濟的意圖儲蓄量與意圖投資量在邊際上相等是均衡點。這分析說，雖然可以觀察到的儲蓄與投資難分，但意圖的可不一樣，後者只能在均衡點上相等。

跟凱恩斯同期的費雪，在他的經典《利息理論》中，含意着的是儲蓄與投資永遠是同一回事，只是從不同的角度看，不分什麼意圖什麼不意圖。他沒有言明，是我反覆重讀得到的結論。費前輩之見：收入消費後餘下來的是儲蓄；今天不消費改作明天才消費是投資。換言之，費雪的儲蓄是今天看收入不消費餘下來的，投資是今天餘下來的用作明天的消費。二者是同一回事，只是時間的角度不同。因為投資一定要讓時間走一程，利息於是出現。利息一方面是投資的回報，另一方面是提前消費之價。

油畫與逃難的例子

弗里德曼曾經提出一個有趣的問題，不少朋友認為深。當時我接受了費雪，加上自己的闡釋，認為淺。弗老問：一位仁兄花巨資購買了一幅油畫掛在牆上，是消費呢，是儲蓄呢，還是投資？我的答案三者皆是，只是消費那部分通常不大。油畫掛在牆上，每次觀看或讓親友欣賞是消費。原則上該畫作可以租回來，付出的租金是消費。不租，自己買下來，掛在牆上，每天放棄了的租金收入，或放棄了的利息，是消費。餘下來的畫價所值既是儲蓄，也是投資。儲蓄與投資皆可賺可蝕，該畫價的上升是投資或儲蓄的回報。當然有機會虧蝕，但收藏藝術作品的人一律希望其價上升，或希望在通脹下保值，消費只是放棄了的利息。擁有該畫作的物權帶來的滿足感有其所值嗎？當然有，但任何儲蓄或投資或多或少會帶來類同的滿足感。我認識一些朋友喜歡天天在家中算身家，或數着自己擁有的鈔票為樂。這些行為也算是消費。

把錢存放在銀行是儲蓄，但也是投資，有利息的回報。銀行一定要轉貸出去給其他消費者或投資者才可以不虧蝕。銀行不付息或負利率的情況出現過，但那是起於貨幣政策有所失誤。把錢藏在家裡，放在床底下，不用，稱作貯藏(hoarding)。這是最接近凱恩斯學派的“漏失”概念。同樣，我的母親二戰逃難時攜帶着一些黃金，不到危難之際不用。這樣的行為是購買安全或購買保障，像上文的購買油畫的仁兄那樣，利息的放棄屬購買保障的消費，貯而不用的屬儲蓄，也是投資。

不事產出的投資誤導

一九六九年前弗里德曼告訴我，不少人奇怪地在家中貯藏着很多鈔票。這種行為，如果只在今天的發展中國家出現，我會說貪污是原因。弗老當年說的是美國，那是四十多年前，不知今天這樣的行為是否還普及。我不懷疑有些人不相信銀行，有些人以數鈔票為樂，但更可能的解釋是四十多年前有鈔票在手使用時最方便。

我認為凱恩斯及其學派把儲蓄與投資作為兩回事看，主要因為不同的投資對就業與物品產出往往有着很不相同的效果。購買土地是投資（也是儲蓄），但如果購入土地的人不動土，只是持着土地等將來，對就業半點貢獻也沒有。很多投資（儲蓄）事項對就業與產出的貢獻不大，這些貢獻的大、小分歧項項不同，可以有很大的變化，說之不盡。

引起混淆的關鍵似乎是：當經濟不景，或前景不明朗，或有戰亂的恐懼，很多人會避去投資於產出或增加就業的項目。他們會偏於轉向不事產出物品的投資，因而減少工人就業的機會。自衛的行為可能被凱恩斯學派視作儲蓄的意圖增加，投資的意圖減少。這看法不對，因為只是改變了投資（儲蓄）的性質。另一方面，說“自衛”的行為會導致消費下降卻沒有錯。

從交易費用的角度看，前景不對頭時較多的投資者會採取自衛行為，因而增加失業的看法是不大正確的。正確的看法，是因為交易費用的存在，投資於物品產出不容易脱身而拿回自己的投資。轉向較為容易脱身回本的項目，對就業與國民收入皆不利。這可不是因為投資的意圖下降了或儲蓄的意圖上升了。

更為嚴重的謬誤可見於斯密二百多年前提出的分工合作可使個人的產出收入暴升這個正確觀點。如果在某些局限環境的轉變下市場的投資者選擇減少分工合作的投資，傳統説的失業與經濟下降會出現，市場的投資會轉到分工合作的利益下降的項目去。投資與儲蓄永遠是同一回事，市場的環境有變，分工合作的取向可能下降，導致經濟不景。

我認為起自凱恩斯的宏觀經濟學是受到上述的誤導而得到儲蓄與投資不同的謬誤。然而，當我説一個經濟的前景大勢甚佳時，人民會轉向增加就業產出的投資，卻不是一個有一般性的規律。二〇〇〇年起，中國的通縮終結，收藏品之價急升。是的，北京的拍賣行拍出的古書畫之價不少上升了數十倍！這種收藏行為是物品產出為零的投資，我會在第四章深入解釋。

如果本文闡釋的是對——意圖儲蓄量與意圖投資量相等的均衡觀點是錯——整個宏觀分析的理論架構會塌下來。我認為該均衡是一件皇帝的新衣，不知還要穿多久。

上述對宏觀經濟學的批評主要是針對凱恩斯學派，不一定是凱氏本人的經濟學。凱氏的《通論》我讀不懂。我有一位朋友説他讀懂，大讚凱氏。同學可參閱 Axel Leijonhufvud 的 *On Keynesian Economics and the Economics of Keynes* 一書。

第二節：曲線交叉自欺欺人

前文說了宏觀分析的一個基礎失誤，指出儲蓄與投資——不管意圖不意圖——是同一回事。只這一點，傳統的宏觀分析難以挽救。還有其他嚴重失誤。自欺欺人的玩意不限於宏觀分析，只是宏觀比微觀遠為普遍。讓我拿出刀來剖析吧。

一九六七年的秋天我到芝加哥大學去，是大鄉里出城。芝大當時名滿天下，是經濟學的少林寺。戰戰兢兢，我把自己作為學生看。兩個月後，聽到那裡有一位明星學生講述他的博士論文，好奇地去聆聽。

經濟學的均衡不是事實

小室坐着三四十人，講題是分析某國的匯率波動，說到重點，講者意氣風發，說大幅的波動很快就找到均衡點，平靜下來。我聽得一頭霧水，高聲問："經濟學的均衡是個概念，不是事實，真實世界沒有經濟學說的均衡這回事。到市場去大家見到市價有時多變有時少變，哪個現象算是均衡只有天曉得。我天天望出窗外，永遠看不出外間的經濟是均衡還是不均衡。你憑什麼可以看得出呢？"

室內一時鴉雀無聲，聽眾你看我，我看你。過了一陣，在座的經濟數學大師 Hirofumi Uzawa 說："你說得對！經濟學的均衡是數學方程式的事，我從來沒有說過以數學算出來的均衡是描述真實世界的。你們不要被數學誤導。" Uzawa 是日本人，當時行內舉他為數學經濟的第一把手。兩年後他回到日本去。他的幾句話使我對自己的思想增加了信心。

經濟學的均衡（equilibrium）與不均衡（disequilibrium）是從物理學借過來的。近於災難性的誤導，因為在物理學這術語是描述物體的動態，是事實，但經濟學的均衡卻是空中樓閣，是概念，真實世界不存在。經濟理論中的好些曲線一般描述人的“意圖”，不是事實，沒有經濟學者的想像這些曲線不會存在。今天流行的經濟泡沫之說，是從“不穩定均衡”（unstable equilibrium）的概念變化出來，無從觀察，也非事實。不是說股市不會暴跌，但我們無從判斷那是不穩定均衡引發出來的泡沫。物理學家牛頓曾經在有名的“南海泡沫”（South Sea Bubble）的股市輸身家。他說：“我可以算出宇宙物體的運行，但算不出人類發神經。”股市暴跌是可以觀察到的事實，但經濟學的均衡或不均衡是無從觀察的。

科斯當年也意識到這個問題。一九六九年的春天，從溫哥華駕車到西雅圖的途中，他向我提出經濟學要取消“均衡”這個概念。我當時的回應，是這概念在經濟學那麼普及，取消不易，但我們可以另作闡釋挽救。我說“均衡”可以闡釋為有足夠的局限界定因而可以推出被事實驗證的假說，而“不均衡”是指局限界定不足，驗證的假說推不出來。科斯當時對我這個“新”的“均衡”闡釋很滿意，說我有機會成為另一個馬歇爾。是說笑吧。

其實我的均衡觀點不是那麼新。更早幾年，寫論文《佃農理論》時，每一步我嘗試推出可以驗證的假說，發覺推不出驗證假說一般是因為局限的指定不足，而凡是有了足夠的局限指定，皆合乎經濟學說的均衡。達到均衡的理論不一定可以驗證，還需要的是驗證的變量真有其物，但不均衡的理論一定是無從驗證的。當時跟老師阿爾欽研討了幾次，他同意我的看法。

可以被驗證的假說是指有機會被事實推翻。我們是求被事實推翻但希望不會被推翻。也是在寫《佃農理論》時，我發覺馬歇爾提出的佃農均衡可以驗證，但他的曲線交叉圖表是有着一個應該消散卻沒有消散的"租值"(見《佃農理論》四十三頁)。這使我後來想到一個用途極為重要的觀點：凡是在邊際上有應該消散而不消散的租值存在的分析，邏輯上一定錯。這種錯誤分析在經濟學上屢見不鮮，我的發現一般化後成為一項"絕技"，可以很快地判斷理論的經濟內容：沒有應該消散的租值的分析不一定對，但有則一定錯。這方面，我再花幾年時間的思考所獲，是一九七四發表的《價格管制理論》。巴澤爾把該文捧到天上去，可惜很不易讀。

看不到則驗不着。經濟學的均衡分析中最大的一個麻煩，是"意圖"之物看不到，在真實世界不存在，我們要怎樣處理才能把抽象的均衡帶到不抽象的驗證呢？《經濟解釋》的前前後後有足夠的示範。

馬歇爾的剪刀誤導

可能是馬歇爾惹來的禍。這位經濟學歷史上最偉大的理論家，提出需求曲線與供應曲線二線相交的剪刀均衡理論，可沒有指出這二線的剪刀交叉只是競爭的後果，不是解釋行為的理由。在《科學説需求》中我寫道：

> 百多年來，經濟學者往往誤解了物品市價的釐定。市價的釐定，絕對不是因為市場需求曲線與市場供應曲線相交。正相反，這市場二線相交，是因為數之不盡的需求者與供應者各自為戰，那一大群自私自利的人，不約而同地爭取自己的邊際用值與市價相等，從而促成市場需求曲線與市場供應曲線相交之價。

這是嚴重的指責了。想想吧：需求曲線與供應曲線皆意圖之物，真實世界不存在；這二線相交的均衡點是空中樓閣，真實世界也不存在；價格有管制而出現的"剩餘"或"短缺"更無稽，不僅觀察不到，簡直不知所謂。我在《科學說需求》中對"短缺"有如下的評述：

價格被管制在市價之下，莫名其妙的"短缺"出現，不均衡，世界大亂矣！問題是人與人之間對任何物品的競爭，必定要解決。說不均衡，是說沒有解決的辦法。不均衡的意思，是指沒有可以被事實驗證的假說。什麼"壓力"云云，不可以壓出一些假說來……"短缺"是因為經濟學者的思想有所短缺而產生的。

這就是麻煩：整個需求曲線與供應曲線相交的均衡分析，在真實世界可以觀察到的只是價格及其變動，其他皆屬子虛烏有。至於"量"，我們見到的只是產量及成交量，意圖的需求量與供應量是經濟學者的想像，不是實物。然而，我們就是要用這樣的"理論"來解釋複雜無比的可以觀察到的世事，成功的機會不可能只基於一些曲線的交叉。深入的曲線之內的闡釋，概念的正確掌握，局限變化的慎重調查，等等，皆不可或缺。很不幸，宏觀經濟的分析一般漠視了這些應有的步驟，以曲線及方程式掩蓋着我們看不到的局限變化與內容。

沒有疑問，宏觀分析的起點——意圖儲蓄曲線與意圖投資曲線相交的均衡點——是從馬歇爾的需求與供應曲線的剪刀交叉的均衡處理搬過來的。這不僅有着上文提到的馬氏分析的不幸，更為頭痛是我在上節指出的：儲蓄與投資，不管意圖不意圖，是同一回事，只是角度看法不同。把儲蓄與投資看作兩回事是嚴重失誤，無從挽救。

IS-LM 分析是悲劇

同樣不幸是John Hicks與Alvin Hansen把這糊塗的分析

基礎帶到近於名垂千古的IS-LM的均衡分析去。這分析一九六三年我作研究生時背得出來，今天內地的同學說他們還在背。自欺欺人怎可以欺那麼久的？想來是因為Hicks與Hansen是大名家，穿起皇帝的新衣有其說服力。

IS是一條意圖投資與意圖儲蓄永遠相等的曲線，即是二者在利率變動時永遠達到均衡。在該線上是無數的投資等於儲蓄的交叉，內地稱為產品市場均衡曲線。LM是一條貨幣的需求與供應永遠均衡的曲線，利率變動該線上也是無數交叉。內地稱為貨幣市場均衡曲線。IS與LM二線相交，來一個大交叉，稱一般均衡（這與Walras的一般均衡不同）。

因為投資與儲蓄是同一回事，IS曲線當然不能成立。LM呢？貨幣何物與幣量應該怎樣算到今天還爭議不休，而我在《貨幣戰略論》一書內指出的幾種不同的貨幣制度，LM說的不知是哪一種。更為頭痛是如果利率受到管制——今天某程度這管制近於無處無之——像馬歇爾的曲線相交無從處理價格管制那樣，IS-LM的交代也是空空如也。馬歇爾的"不均衡"困境我在《價格管制理論》一文中解決了。那是教怎樣選取需要補加的局限條件。這補加使不均衡變作均衡，足以推出驗證假說，因而可救。然而，IS-LM的不均衡，邏輯上是不可能解決的。不均衡無從處理，均衡沒有意思。是敗局，無可救藥！

經濟學者就是喜歡以曲線交叉來解釋世事。曲線畫得出，方程式就寫得出，可以巧妙，也可以美觀。然而，解釋世事需要的，是可以用事實驗證的含意，也即是說要推出有可能被事實推翻的假說。這方面，宏觀分析的"短缺"令人尷尬。從事宏觀分析的眾君子就是喜歡把一些在真實世界不存在的意圖曲線移來移去，這裡一個交叉那裡一個交叉，務求移到跟可以觀察到的幾個變量——例如利率、通脹率、失業率、國際貿易差額、國民收入增長、財政數據、貨幣量等——大致吻合，就算是解釋了。

是事後孔明的"砌"作吧。九十年代中期，一位我認識的名家到香港大學講話。他用的是理性預期理論（rational expectation，又是真實世界無從觀察之物），解釋當時美國的宏觀經濟。他把多條曲線移來移去，叉來叉去，提供的數據支持着他的結論。重點是基於美元在國際上強勁。他寫文章時美元是強勁的，但到港大講該文時美元轉弱了三個月，不在他分析的數據的期間內。多加三個月他的整篇文章潰不成軍！我指出，他無以為應。

第三節：漠視局限推斷失靈

我喜歡獨自思考，思想上喜歡事不關己，己不勞心。有時想到的跟前人有別，我會拿出刀來揮斬幾下。這些日子，為了對炎黃子孫的一點關心，事不關己有時也拿出刀來。

這裡提出的對宏觀經濟學的批評，跟我做學生時老師教的沒有多大關係。我是基於離開母校四十多年自己的尋尋覓覓，對均衡概念、租值消散、體制組織、交易費用等的掌握有了新的體會，然後回頭看自己當年所學的內容，認為不少地方需要修改。四十多年來，找真實世界的例子做解釋及驗證的工作，我差不多天天做，提供了修改前人之見的基礎。雖云一士諤諤，但心領神會，自覺舒暢，有點稼軒說的"恨古人不見"之感。

這些年不少同學要求我寫一本關於宏觀經濟學的書，用以填補《經濟解釋》——他們認為後者是"微觀"。我認為經濟學不應該有微、宏二觀之分，重點是能否解釋世事。我也認為複雜的理論不管用，局限轉變的調查是關鍵所在。局限可以簡化，也需要簡化，但不可以簡化得與真實世界脱了節。凡是牽涉到局限轉變的分析必定要從個人的選擇出發，所以一律是價格理論的範疇。這就帶到我要談的宏觀失誤的第三點了。

我要舉出兩個我自己嘗試過的、從局限轉變的基礎來推斷“宏觀”現象的例子。這類“宏觀”性的推斷的局限指定通常比市場現象需要指定的來得複雜。

推斷中國會改走市場經濟

例子一。一九八一年我肯定地推斷中國會走向市場經濟的路，條件是我觀察到的、剛剛開始出現的局限轉變會繼續下去。那是我寫過的最詳盡的關於交易費用局限轉變的文章（見《張五常英語論文選》六二九至六五〇頁）。簡言之，我把廣泛的交易費用一分為二：制度運作的訊息費用與改革制度的履行費用。看清楚了這兩項費用的相對轉變大勢，我推斷中國會走向市場經濟。這是比一般的宏觀現象更為“宏觀”的了。

當年文稿寄給朋友，反對這推斷的無數：舒爾茨來信譴責，説經濟學不能作這種推斷；貝克爾直説我錯；弗里德曼説我是世界上最樂觀的人。只有科斯不罵，但他要到三十多年後才把該推斷理論捧到天上去。因為反對的朋友太多，該文延遲了一年才發表。鼓勵我發表的是巴澤爾：他不同意我的推斷，説是妙想天開，但他認為那寫理論的第三節是天才之筆，半點瑕疵也看不到，不發表可惜。這理論今天還沒有受到重視，反映着行內的朋友一般對交易費用的局限轉變的分析沒有興趣。

這例子可教同學的是：經濟學的推斷或推測永遠是假説，要指定驗證條件（test condition），而上文提到的交易費用的局限轉變就是驗證條件了。一定要可以觀察到，而又要假設這轉變會繼續，不會一下子倒轉過來。指定了的局限轉變，若再變要作別論。我當時認為中國面對的兩種交易費用轉變的走勢是相當穩定的，皆對改革有利。科學上的推斷要基於驗證條件的穩定性。同學們如果有機會讀到我在一九八一年寫下的推斷中國轉走市場經濟的文章，會知道我在不少細節的推斷上皆準確。

推斷地球一體化

例子二。一九九一年蘇聯解體，該年十二月在瑞典與弗里德曼相聚，我對他說地球將會有超過二十億的窮人參與國際產出競爭，如果先進之邦不改革他們的經濟結構——例如福利制度、工會權力、勞工規例等不利於國際競爭的約束——將會遇到很大的麻煩。今天回顧，這推斷沒有錯，但不算推得精確。當時困擾着我的是先進之邦有樂觀的一面：國際廉價勞力的供應急升，可以賺大錢的，理論上是有資產與有知識的人，所以原則上先進之邦是有大利可圖的。是的，原則上，就是先進之邦的窮人也會因為窮國的興起及參與國際競爭而獲利。

這裡牽涉到的又是交易費用的問題。有多種交易費用可以嚴重地妨礙先進之邦在地球一體化的大轉變中獲得他們應得的甜頭，而這些交易費用的結構顯然非常複雜。尤其是那極為重要的訊息費用有多方面，深入的調查與衡量總要花上幾年工夫。我沒有作這調查，但深信，如果當時全面地考慮重要而又有關的交易費用，我會對今天的國際情況推斷得大為可觀。

同學們想想吧。中國開放改革後約十年蘇聯解體，帶動了東歐、印度、越南等地區搶着開放，參與國際競爭的貧困人口史無先例地暴升，代表着一項極為重要的局限轉變。這轉變明確而肯定，一九九一年看走回頭路的可能是零。是那麼重要的一項局限轉變，擺在眼前，是很大的一個人類前途的局限，也是宏得無可再宏的宏觀。然而，如果要以之推斷二十年後的國際形勢將會怎樣，研究上我們還要經過千山萬水，還有很多局限約束——尤其是交易費用的約束——需要考查，就是馬虎地猜測一下也不容易。令人尷尬的是：國際競爭的廉價勞力暴升，明確而重要，先進之邦的經濟大師們怎可以視若無睹呢？

這例子可教同學的是：不願意下重本考查交易（包括訊息）費用的局限，或猜測錯了，不能説經濟理論沒有用場，只是使用時成本太高罷了。宏觀分析的困難，不僅在比較微妙的交易費用的轉變沒有顧及，就是有震撼性的勞力局限轉變，這門學問也奇怪地懶得管。

利益團體壞我大事

多年以來，類似的大大小小的推斷，屬“宏觀”的，我作過多次。一位朋友説他算過，二十六次全中。這是不對的。凡是牽涉到利益團體的壓力作為一項重要的局限轉變，我對世事的推斷頻頻出錯。這可不是因為我掌握的經濟理論不能處理利益團體衍生出來的局限轉變，而是我對這些局限的細節近於一無所知。我就是厭惡牽涉到政治的話題。我有兩位已故的朋友——布坎南（J. Buchanan）與塔洛克（G. Tullock）——對利益團體的政治局限很有興趣，花了很長時間考查利益團體帶來的局限轉變，其中布兄曾經為此拿得諾貝爾經濟學獎，但這兩位朋友的作品我很少讀。

兩個例子可以示範牽涉到利益團體帶來的局限轉變的處理困難。其一是香港二戰後的租金管制，持續了約四十年，期間很明顯，如果解除租管讓房子重建，增加高度，業主與租戶皆可獲巨利，而政府的税收也會上升。這租管驅之不去主要是因為律師得益，而協商瓜分巨利的交易費用甚高。很多需要調校的法律不容許。然而，比起重建的巨利，律師的收益微不足道。這租管為什麼來得那麼容易而解除卻是那麼困難，有關的幾種局限難以鑑定是原因。

第二個例子是中國二〇〇八年推出的新《勞動合同法》。此法對整個國家的經濟為禍之大，是我平生僅見。當時我準確地推斷了該法將會帶來嚴重的禍害，但不明白為什麼一小撮人可以有那麼大的破壞整個經濟的權力，更想不通為什麼該法到今天（二〇一六）仍然存在，因為得益的小律師與一些搞事的人，比起國家的損失，他們所獲的微不足道。

沒有誰不同意，宏觀分析也是以個人在局限下作選擇為基礎，然後加起來而“宏”之。問題是如果個人選擇的局限指定不足夠——尤其是漠視了交易費用——加起來的“宏觀”對現象的解釋力令人尷尬。我有這樣的意識：傳統的微觀是暗地裡假設交易費用不存在；傳統的宏觀是暗地裡假設交易費用存在，但不管是些什麼！正面而又明確地引進交易費用，微、宏二觀的分別不會存在。原則上，上世紀六十年代興起的所謂“新制度經濟學”是走這“正面而又明確”的路，但走歪了，歪得離奇，無從驗證的博弈遊戲與不知何物的術語把整個本來是有希望的發展破壞了。

第四節：失業要從公司看

失業是宏觀經濟分析的主題，絕對是。起自凱恩斯的宏觀經濟學（macroeconomics），是上世紀三十年代的經濟大蕭條促成的。失業人多是大麻煩，因為會導致社會不安定。什麼是失業不容易下定義：任何人不怕工作粗賤，或願意接受低工資，不可能找不到工作。何謂失業今天經濟學行內還有爭議，還有些有分量的學者認為沒有失業這回事。不能否認的，是所有國家的政府都有失業率的統計，公布的數字大致上是跟經濟增長反方向走。不同的政府可以有不同的失業統計方法，其衡量跟經濟學者的意識往往有出入。

我接受的失業定義，是一個可以工作的人找不到他願意接受的薪酬或待遇的工作。這個人可以在街頭做小販，是就業，但他見到一些本領跟自己相若的打工朋友，收入比他高，於是希望能找到收入相近的工作，但找不到。嘗試找工作但找不到是失業的定義，但騎牛搵馬不算，政府的統計也不會算。一個人打工，被解僱了，找不到他願意接受的薪酬的工作，繼續找，是失業，多半會被政府的統計算進去。原則上這樣的失業是不會持久的。人總要吃才能活下去。可轉做街頭小販不論，任何人，只要願意接受夠低的工資，總會找到工作。我將在卷四指出種種原因，解釋為何不願意接受，因而失業持續。這就帶到我要批評宏觀經濟分析的第四點。

沒有公司組織，失業不會出現

人類在地球存在了逾萬年，有可觀的文化五千年，然而，失業成為一個嚴重的社會話題，只不過是一百年來的事。中國是個古文化，人口數量歷來冠天下，但失業成為話題只是上世紀九十年代起才聽到。要不是未富先驕，二〇〇八年從西方引進新勞動法，之前中國的失業率最高約百分之四（國企改革工人下崗不論）。這數字，西方的先進之邦不會認為是需要關心的失業情況。

在一個以家庭為產出單位的國度，物品的產出主要是農產品及手工藝品，士、農、工、商皆有所業，失業是不存在的。其實家庭也是一種公司組織，只是少有甚至沒有今天大家知道的工資合約這種安排。下文可見，沒有工資合約是不會有失業的。講深一層，失業的出現不是因為有工資合約，而是因這些合約中比較普及的，是以時間算工資。

十八世紀初期的歐洲，尤其是英國，工廠（factory）開始出現，逐步普及，替代了銷售商判給家庭產出為主的putting out制度。跟着的“工業革命”有好幾種闡釋，最重要是僱用員工的大工廠變得時尚。有兩個原因。其一是紡織機有了兩大發明，此機龐大，成本不輕，但操作快。這樣的機械是不宜用於家庭的。其二是分工合作的個人專業產出，可使整體的產量暴升。一組人集中在一起的流水式操作可使每人的平均產量上升多倍。這現象啟發了斯密，他以造針工廠的實例起筆，寫成了劃時代的《國富論》。那是一七七六年。

一九三七年，年輕的科斯發表《公司的本質》——工廠屬公司組織——提出公司是市場的替代之說。他說因為有交易費用，好些產出活動沒有市價指引，應該產出什麼及怎樣產出於是不能依靠市場的看不見的手，公司之內的產出活動是由看得見的手指導及監管的。那是經濟思想史上第一篇以交易費用為核心的文章。

一九八三年我發表《公司的合約本質》，指出公司替代市場之說不對，正確的看法是一種合約替代了另一種。該文以實地調查香港工業的件工合約為出發點。工廠工人的薪酬以個人產出的件數算，每件之價可以看為市價，而如果整間工廠公司的所有產出活動皆以件數算工資，老闆只是中間人，“公司”與“市場”明顯地是同一回事。我再指出，真實世界的產出運作，是不同機構之間互相外判，互相連接，產出合約的網絡可以廣闊地串連着整個經濟，所以除了財政、債務有清楚的個別界定，我們無從把不同的“公司”的產出活動個別劃分。這觀點就是後來行內出現的“公司無界說”的根源，我沒有跟進。然而，拙作含意着的一個要點，是市場就是市場，其中有多種不同的合約安排，但沒有產品市場與生產要素市場之分。這推翻了傳統經濟學的分析架構，牽涉到的含意重要而廣泛，我將在卷四更為詳盡地處理。

件工與分紅皆沒有失業

回頭說失業，上文提到的“公司無界”與“市場一也”，皆與失業有關聯，但複雜，要用一本書處理。簡言之，從公司合約的角度看，說一個可以工作的人失業，是說他一時間找不到他願意接受的公司伙伴合約。這可以是大麻煩，因為上文提及的、參與“公司”的分工合作，個人的收入往往遠高於個人獨自產出的收入。如果一個經濟沒有失業，分工合作的公司安排達到了一個均衡點，個人的獨自為戰（例如做街頭小販）的收入會跟同樣本領的人參與公司合作的收入差不多。但如果失業率上升，參與獨自產出的人口增加，他們的人均收入會下降（以街頭小販為例，其數目上升個別小販的收入會下降得快）。這會導致獨自產出的收入低於參與公司的收入，市場的運作早晚會把參與公司的收入拉下去。這裡的含意是，失業率愈高，再增加失業的一個百分點對社會的損害愈大。

現在讓我們轉到公司的合約本質對失業的影響吧。件工合約是不容易甚至不會出現失業的。從最簡單了當的件工看，那只不過是產品市場通過老闆作為中間人。經濟不景，產品之價下降，件工工人的收入跟着下降，無怨可言，等經濟回升吧。我當年調查所得，一家工廠收到的訂單下降，或買家要求製造新產品，老闆上頭通常跟工人洽商件工之價。怎會有失業呢？工人知道訂單不足，或件價下降，不轉工就要認命，要等待經濟的好轉。

以獎金、佣金或分紅等作為工資的一個重要部分的合約也不容易出現失業，因為這些有自動調整工資的彈性。上世紀七十年代，日本是分紅合約最普及的國家，公司員工分紅之巨，每年是國際新聞。當日本的經濟在八十年代後期開始急速下降時，失業率不變，只是公司員工的分紅跌得厲害。過了十年八載那裡的分紅跌至近於零，不知今天怎樣了。

時間工資是問題所在

無可置疑，失業的大量出現，以時間算工資的普及是基本的困難。我曾經指出，過於瑣碎的工作，或產品件件不同，或質量的要求高於行內的競爭者，或多人合作但不能明確地分開個別的貢獻，等等，件工合約會因為量度費用（也是交易費用）過高而不能採用。量度時間的費用低，時間是長是短不會有爭議，於是相當普及地被採用了。問題是，僱用員工的老闆是為了賺錢，員工出售給他的時間本身沒有價值。老闆要的是員工的時間可以產出什麼。換言之，時間的本身不是產品，只是一個"委託"之量，即是說產量的多少被委託於時間的量度算價，而此價就是時間工資了。

我將在卷四裡提出一個重要的"履行定律"。這定律說，凡是被量度算價的"量"，其履行的監管費用低；沒有被量度算價的"量"，其履行的監管費用高。這是說，以時間算工資，老闆不用擔心員工不履行上班的時間，但工作的產出為何則不能不監管了。這監管無可避免地帶來主人與奴隸關係的形象，剝削工人之說不脛而走。如果天下所有勞工合約皆以件工算工資，馬克思不可能想出"剩餘價值"。

再回頭說失業，為什麼以時間算工資的合約那麼容易導致失業呢？答案是這種合約不直接量度員工的產出貢獻。被量度而算工資的時間只是產出貢獻的委託之量，不是貢獻的本身。經濟不景，或一間公司的生意失利，老闆要減時間工資，不容易說服員工他們的產出貢獻所值是下降了。尤其是，同樣時間工資的員工的本領性質各各不同，工資相同不一定代表着判斷失誤，但一旦經濟或市場的情況不利，員工之間的不同性質的本領的市值可能改變了。老闆要怎樣處理才對呢？訊息費用存在，把時間工資一律下調，或這裡減那裡加，不容易有說服力。餘下來的辦法是選擇性地解僱一部分員工。

工會運作蠶食租值

更麻煩的是，因為以時間算工資不是直接量度公司裡每個員工的產出貢獻，他們的時間究竟值多少錢一般是有着可以爭議的空間。這空間的存在鼓勵利益團體或分子渾水摸魚，要求政府推行最低工資，或推出勞動法例，或組織工會，或要求集體協商工資，或以罷工的行為做談判工具。

我曾經幾次解釋過，一間有名牌寶號的公司，作了可觀的設備投資，或在研發上有成，又或者經營運作有過人之處——這樣的機構有可觀的租值存在，不是工資提升十多個百分點就關門大吉的。這種公司或機構是一個經濟發展的命脈所在。增加租值所有公司皆夢寐以求。如果公司發行股票上市，長遠一點看，其股價的升降必定反映這公司的租值升降。然而，因為時間工資只是一個委託之量的價，此價也，可以爭議，得到上述的利益團體的"協助"，公司的租值可以被蠶食。美國的通用汽車公司曾經是地球上最成功最龐大的製造工廠，曾經擁有的巨大租值二〇〇九年被蠶食至零！租值這個重要概念我會在第五章詳盡解釋。

以件工合約算工資是不容易蠶食租值的——原則上不可能。這是因為件工之價是明顯的產品市價，左右這個價是明顯的價格管制，市場的消費者看得清楚，容易反對，利益團體不容易渾水摸魚。事實上，工會反對件工合約由來已久，何況這種合約與過高的以時間算的最低工資有衝突。上世紀三十年代，美國在工會的大力反對下，政府以法例禁止件工合約！

福利經濟也會明顯地增加失業人數的。不工作可以有政府的援助，工作則沒有，怎會不鼓勵"失業"呢？英國在上世紀二十年代的失業率高企，七十年代一篇研究詳盡的文章指出那裡的福利急升是關鍵。回歸中國前的香港，失業率徘徊於百分之二左右，後來政府綜援急升，失業率上升了不止一倍。

重要的支持實例

上述的失業解釋，尤其是以公司合約的分析作解釋，有明確的事實支持。兩個有震撼性的例子重要。其一是九十年代的中國。那時中國從百分之二十以上的通脹率急速地下降至百分之三強的通縮率——如果算進當時的產品質量急升，通縮率會高於百分之十。樓房之價下跌了三分之二。這樣急劇地從高通脹轉為高通縮，傳統的宏觀分析說失業率一定飆升。但中國沒有。增長率保八（今天回顧是低估了），失業率的提升不到一個百分點（也應該沒有算國企下崗工人）。究其因，是中國當時的最低工資若有若無，而更重要是政府不左右勞工合約的自由選擇。如果二〇〇八年的新勞動法在九十年代推出，中國不可能有今天的形勢。不能否認當時開始形成的縣際競爭制度有助，但二〇〇八年開始大家可見，縣際競爭鬥不過不容許合約自由的新《勞動合同法》。

第二個有震撼性的例子是不幸的。二〇〇八年西方的金融危機事發，失業率急升，先進之邦怎樣花錢救市，六年後也減不了多少他們的失業率。福利不論，二〇〇九年七月美國提升最低工資約百分之十是幫倒忙，而更重要的是先進之邦的經濟結構是明顯地違反了公司合約的自由選擇。左右公司合約的政治結構僵化了，是他們的失業率持久高企的原因。這高失業率要到六年之後才開始下降。

源自凱恩斯的宏觀經濟分析，認為失業起於消費需求不足，是膚淺的表面思維，而該學派主張政府花錢挽救失業，是錯上錯。從解釋失業的角度衡量，這裡提出的公司合約理論勝出八千里路雲和月。在卷四我會較為詳盡地再分析失業。

第五節：國民收入的謬誤

"國民收入賬目"（national income account）是宏觀經濟的第一課。公認是最沉悶的經濟學題材。當年同學之間沒有一個有興趣，可幸大家知道老師不會在這方面出試題。國民收入賬目是教政府怎樣統計幾種不同的國民總收入，國際貿易怎樣入賬，稅收及政府財政怎樣算，等等。悶得怕人，當年我無法集中五分鐘。

這裡要說的是比較有趣的有關話題。國民收入賬目用政府的統計方法，沒有多少經濟內容，如果我們以經濟學的概念來衡量這些統計數字，會發覺不少地方跟經濟理論是合不來的。不幸是"宏觀"以這些數字來論經濟。

日本的例子

國民收入的統計是為了大概地衡量生活水平。一國之內，這些統計數字的變動誤導成分不高，但國與國之間的比較是另一回事了。

二〇一〇年八月報道說，中國的總國民收入開始超越日本的，意思是說剛剛超過。這是以美元算。以實質總國民收入算，我認為早就超過，而且超過很多。中國的人口是日本的十倍，土地三十多倍，好用的土地約二十倍。以美元算，中國的總國民收入要超越日本十倍恐怕是很久的將來的事，但以實質算超越十倍不應該困難。日本的物價比中國高，而日圓在國際上不弱，這樣與中國相比日本人的實質收入是高估了。中國與日本的實質收入差別要怎樣調校才對不是淺學問，是題外話了。

要說的是比較有趣的三點。其一，我認為日圓在國際上強勁是政治壓力使然，早期有外來的壓力，後期日本人出外投資者眾，保持日圓的強勢有助。國際上有些專家認為日圓持久地有強勢是因為技術上政府難以減弱。這不對。日本的經濟不振是上世紀八十年代開始的。二〇〇一年在三藩市跟弗里德曼談到日本，他關心，說那裡的貨幣供應量推不上去，日圓過於強勁，是以為難。我認為一隻弱幣要增強可能不容易，但強幣要轉弱則易如反掌。大手增加貨幣的供應量，導致可以接受的百分之五左右的通脹率，日圓的國際匯率會下跌，何難之有哉？弗老當時指出日本的國會不通過可以大手增加貨幣供應量的方法。二〇一〇年九月日本某政要說要用直接干預的手法來壓制日圓的強勢，是一種政治言論。一個國家的國際幣值弱，要加強可能要推行外匯管制，或要有足夠的外匯儲備購回自己的貨幣。但貨幣在國際上有強勢是另一回事，要調校轉弱是容易的。一隻貨幣的弱勢與強勢的調校困難是不對稱的。

購買力平價說是蠢理論

第二點。國際上的言論，老是喜歡把國與國之間的國民收入相比。不是以實質收入算。通常以美元算。這種比較源自經濟學上的Purchasing Power Parity Theory（中譯“購買力平價說”）。此說也，指同樣的幣值，在不同國家其購買力會相同。這裡牽涉到的一方面是深學問，說來話長，這裡不說；另一方面是淺學問，只幾句就說完了。說淺的吧。淺的有兩個看法，讀者選哪一個都“對”！第一個看法，是阿爾欽提出的：“購買力平價說”是套套邏輯，永遠對，因為不可能錯。這是說，無論國與國之間有沒有匯率管制，或關稅各各不同，或有多種貿易約束——在這些及其他局限下，物價不同只不過是反映着局限不同，非不“平”也。扣除這些局限物價會相同；加進局限，物價因而不同，不能說parity不保，所以購買力平價說是套套邏輯，非理論也。阿師之見當然對。好比你走進內地的機場喝一杯咖啡，其價比機場外高五倍，局限不同，價因而有別，你可以不喝，何不平之有哉？另一個看法是以一隻貨幣算物價，漠視局限，國際相比，同價但實質的享用不同，或享用相同但物價不同，所以不平也。這看法當然也對。怎樣也不對的是Purchasing Power Parity Theory，因為根本不是“理論”，也沒有說明是哪個看法，屬無家可歸之類。蒙代爾的弟子（R. Dornbusch）曾經大書特書，薩繆爾森大讚特讚。不知是套套邏輯而試行以之解釋世事是令人尷尬的。

中國與日本的財富比較

第三點也有趣。為寫此節，我掛個電話給一位對日本樓房市價有認識的朋友，得到的二〇一〇年中期的資料是：日本城市與中國城市的樓房市價，以美元算，大致相同，奇怪地近於完全一樣。不是歷來一樣，而是二〇一〇年報道的、中國的總國民收入與日本的打平之際，大家的樓房之價一樣。是以每平方面積算價的。我們知道在這時期中國的高樓大廈林立，多得驚人，而中國的土地面積比日本的大很多。這樣，以房地產的總值算財富，中國比日本高出很多是沒有疑問的，雖然高出多少倍我手頭上沒有資料——若有資料，為這倍數作大約的估計不困難。房地產的財富中國比日本高出那麼多，總國民收入怎會是剛好打平的？

房地產的市值是任何國家的財富的一個重要部分，而對日本與中國來說無疑是最重要的一部分。財富是收入以利率折現所得，而收入是將來的收入，無可避免地牽涉到大家看不到的預期。無從觀察的預期是經濟分析的大麻煩，我們只能從看得到的局限轉變衡量。二〇一〇年，中國內地的住宅租金的每年回報率只約樓房之價的百分之二，非住宅約百分之五強，皆低於百分之六以上的銀行借貸利率。這顯示着中國的預期收入或通脹或二者的合併會上升。這預期上升，加上經濟穩定，外資湧進中國不難理解，可能是內地樓價政府總是打不死的一個原因。

當然，樓房之價可以暴升暴跌。這些大幅的波動可能起自牛群直覺的亂闖，也可能起自財富累積的倉庫選擇有轉移。願賭服輸，歷史的經驗說這二者對經濟為害不大，主要是市場把財富再分配一下。然而，這暴升暴跌也可能起自政府的政策失誤，或像二〇〇八年美國發生的不幸，金融市場的合約隱瞞着一個大騙局。源自這後二者的樓房之價暴跌對經濟會是為害不小的。

人傑地靈也不幸

轉看美國吧。二〇〇三年美國的樓房市價高出中國的不止一倍，但二〇一〇年可能不及中國的一半。從樓房之價看財富，中國與美國之間的比對出現了大變動。然而，作這種比較，美國與日本的局限在兩方面很不相同。其一是美國的房地產不是他們最主要的財富。美國的主要財富是知識與科技資產的所值。論科技知識日本也了不起，二〇一〇年看中國還是遠遠地落後了。這裡我要指出的，是美國的房地產之價大幅下降，代表着的財富下降是上述的不幸的那一類，對他們的國民收入增長有不容易解決的麻煩。然而，從富裕的比較上，因為美國的知識財富了不起，他們在國際上的優勢還會持續。

第二方面，美國不僅地大物博，人口不及中國的四分之一，以地大而言他們的居住環境可能冠於地球。這樣，無論他們的樓房之價怎樣下跌，在人均的樓房實質享用上，日本與中國是永遠不及美國的。從國際的局面看，樓房的享用收入一般是在總收入享用的四分之一以上。這樣衡量，以人均的實質收入算，中國要超越美國是遙遙無期了。

"宏觀"的國際經濟比較難以衡量。就是假設美國的地價下降到零，含意着樓房之價再下跌，但那重要的人均樓房享用依舊，實質上遠超日本及中國的。問題是國民的財富下降了，那裡的市民採用防守策略，對經濟的增長不利。

當二〇〇八年雷曼兄弟事發，金融危機震撼地球，我立刻説美國的資源依舊——房地產與知識資產皆依舊——還是人傑地靈也。單以資源論前景，這前景沒有變。問題是資源的所值是通過市場來釐定的。金融市場出現了問題，是人為之禍，原則上可用人為的方法修正，收復失地指日可待。傳統上這種修正屬宏觀的範疇，但我們看不到這門學問作出了什麼貢獻。是宏觀經濟學的大考，打個零分的教授恐怕不少吧。

國民收入漠視伊甸園

最後讓我轉到《聖經》説的伊甸園的例子。那裡除了禁果不能吃，其他應有盡有，享之無盡。伊甸園之內沒有財富，也沒有缺乏，因而沒有價，沒有錢，傳統的國民收入談不上。亞當與夏娃享受着的全部是消費者盈餘（consumer's surplus）。我們在上文提到的實質收入是價格調整後的收入，在伊甸園不存在，但說到實質享用消費者盈餘要算進去。原則上這盈餘是可以量度的，但國民收入一般沒有算進。

回頭看上文提到的美國房地產的例子，跟中國相比遠為容易接近一個伊甸園。假設他們的地價下降至零，他們的人均樓房享用依舊，雖然他們的財富及國民收入下降了，但因為樓價也下降，消費者盈餘的上升足以抵消有餘。如果我們不管這些下降會帶來的其他不幸，國民的生計沒有下降。另一方面，純從房地產看，因為消費者盈餘沒有算進，加上需求彈性係數的考慮，一個國家的財富與國民收入上升可能代表着人民的生活水平下降。（舉個例，如果某國把房地產的供應量減半，需求彈性係數低於一，房地產的總財富會上升，租金收入的總值也會上升，但人民的生活水平會下降。）

地球上不同的國家，某程度上各有各的準伊甸園。以我為例，中國的古文化享之不盡，除了自己的時間其享受之價近於零。曾經提及，購買及移植成長了的桂花樹，中國之價只約美國的五十分之一。這些是消費者盈餘很高的享受。國國不同，但每國家都有自己的多個準伊甸園。另一方面，消費者盈餘這回事，不同地方的變化可以很大。這些變化，國民收入或國家財富一般沒有算進去。從經濟科學衡量，人與人之間的財富相比沒有多大意思，何況國與國之間。國民收入的相比也如是。可以考慮及有點用場的是財富或國民收入的轉變，但要基於某些其他情況不變，也要考慮彈性係數的左右。

每個人都可以有自己的伊甸園。好比今天早上我研究古文物，下午寫書法，晚上做文章——全部自得其樂，而此樂也，皆消費者盈餘。算是富有嗎？世俗說不算。上蒼有知，如果我的多項玩意本領可以轉讓排隊輪購的人不少吧（一笑）。伊甸園的放棄是多賺錢的代價，受到需求定律的左右。這裡有另一個有趣定律：一個住在伊甸園的人，或一個近於伊甸園的國家，因為沒有錢或錢較少，對外的影響力會下降。

第六節：財赤有害嗎？

一個國家的政府財政赤字屬宏觀話題，二〇〇八年國際金融危機出現後成為大話題。一個國家可以承擔得起多大的財政赤字老生常問，傳統的答案：政府財赤的上限是政府稅收可以支持得起負債的利息。是淺見。曾經跟弗里德曼談及，他提出另一個上限，今天我忘記了。

一般的意識，是財政赤字會把債務推到下一代去。也是淺見。二〇一〇年的春夏之交，歐洲南部的幾個國家，尤其是希臘，頻傳近於破產。一時間國際人士紛紛計算幾個“危難”之邦的赤字在國民收入中的百分比。風聲鶴唳，導致這些國家的債券暴跌，要再發行新債券利率飆升。

中國呢？二〇一〇年看，國家有龐大的外匯儲備，中央上頭的財赤不是問題。但據說地方政府的財赤或欠債加起來高到天上去，朋友問我意見。無從回應，因為不知實情。我對政府財赤有另一種看法：政府花錢多少無所謂，問題是社會收益的回報是否足以抵償花去了的錢而有餘，即是要問政府花錢的社會回報率是否高於欠債的利率。政府花錢或投資要從社會成本與社會收益衡量。這些“社會”賬目歷來不明朗。就是私營的機構，甚至有嚴謹審查的上市公司，造假賬時有所聞，何況政府，更何況牽涉到社會成本及社會收益。

私產的僵化觀

剛想好怎樣寫此節，楊老弟懷康傳來一篇貝克爾（Gary Becker）二〇一〇年九月二十九日發表的關於中國的文章，打斷了思路。那就讓我以評論貝兄的一個要點作為分析政府財赤的起點吧。貝兄對中國的前景看得不錯，但他說的中國與我所知的中國是兩回事。最近他造訪神州，說跟很多中國的經濟學者、商家、幹部傾談過。是誰誤導了他？

貝克爾對中國經濟體制的主要批評，是國營企業還是林立，效率欠佳，沒有私營企業的活力。他指出現代的世界沒有一個國家不靠私營起家，中國的經改到今天雖然大有看頭，但人均收入只有日本的十分之一，要富有是另一回事。國民收入的算法我曾力斥其非，但同意富有談何容易。另一方面，私產、私營等是經濟要發展的唯一出路的觀點，顯然是芝加哥學派的傳統思維，今天看是有點僵化了。早在一九七〇年我就說私產不需要有私人所有權，一九八六年說承包合約可以是私產的替代。大家知道，先進之邦的上市公司一般是公有的，雖然股權屬股民或某些機構所有，跟今天中國的上市國企差別不大。在中國，好些企業的股權全屬國有，其運作通常是斬件判出去給私營的。西方的上市公司要賺錢，中國的國企同樣要賺錢。西方公司的管理人出術瞞騙可能被訴之於法，中國國企的可能被雙規。今天我還擔心的是中國的某些龐大國企的壟斷權還被政府維護着，何況處理不善容易導致貪污。

中國制度的啟示

我在《中國的經濟制度》的神州版寫道："私產與市場對改進人民的生活無疑重要，但我們一定要加進界定經濟制度的合約結構與安排來看問題。" 事實上，《制度》的整本小書是分析層層承包的串連與佃農分成的安排，不僅是西方學者高舉的私產的替代，其運作遠比貝兄認為是以私產為主的落後國家的運作來得有效率。

我們不要管是什麼名稱，科斯和我四十年前就認為私人所有權不重要。我從中國的經驗學到的，是論產權有點空中樓閣，重要的是以合約結構界定權利與帶動競爭。大有效率的合約結構，因為把權利與責任界定得清楚，可以闡釋為有私產的本質，但私產不一定能帶動中國那種競爭。北京的朋友不喜歡聽到那個"私"字，我們大可不說。另一方面，貝兄高舉的私產或私營，在國家整體的合約結構不善的情況下，一窮二白的例子到處都有。我在《制度》的神州版也說得清楚，中國獨有的制度，用在一個人口那麼多資源那麼貧乏的國家無疑是天才之筆，但人口稀少而又資源豐富的，可以大派福利，不一定用得着。中國目前令我憂心的不是中國人自己發明的制度，而是從貝克爾高舉的先進之邦引進的勞動法例、貨幣政策、社會醫療、福利制度等項目。

國企不要錢嗎？去問有關的幹部吧。他們不懂生意之道嗎？我沒有他們懂那麼多。他們不明白市場嗎？我沒有見過比中國的地區幹部更明白什麼事項由市場處理得較好，什麼事項政府處理優勝。他們知道政府擁有土地徵用權（power of eminent domain）可以減低市場的交易費用，於是利用此權推出項目，凡是遇到他們認為是私營與市場會辦得比較有效率的事項，他們判出去。手續上先進之邦要十多年才能辦到的，他們只用幾月。社會成本或社會效益的界外效應（外部性）他們有考慮嗎？絕對有。但他們也知道如果項目要虧蝕，獎金與升職免問。認為不會虧蝕的他們會"社會"一番。他們會作出錯誤的投資嗎？當然會，私營與市場也會，哪方比較優勝天曉得，但中國的經驗說，讓貝兄的思維策劃中國的經濟改革，中國今天還會是一窮二白。

我對貝克爾及昔日的舊同事沒有貶義，只是深信經濟學者的天才比不上經濟壓力逼出來的合約結構制度。是十三億窮人需要吃飯的壓力。我自一九六六年起研究合約，很集中，沒有中斷過，其後從中國經改的第一天起開始跟進，也沒有中斷過。然而，撫心自問，我沒有本領發明中國制度的合約結構，雖然這裡那裡有好些地方跟我八十年代建議的有雷同之處。昔日美國的同事主張的私產制度當然比大鍋飯好，但更重要是國家整體的合約結構。我將在卷五詳述。

資產負債表：國企有，國家沒有

現在讓我轉到政府財赤的話題去。從一家私營公司說起吧。這家私營機構在會計上有一個“資產負債表”。此表的一邊是資產，asset value 是也。另一邊是負債加資產淨值，即 liability 加 equity，後者可稱 capital。這兩邊永遠相等。香港中學課程有教，雖然會計學教到最高之處還是那張資產負債表。

讓我們假設這家公司誠實，其資產負債表算得精確。這公司作投資或做生意，有收入，也有負債。衡量這公司的實力與發展，最可靠是看它的資產淨值及其變動。公司經營得法，有前途，每次重估這淨值會增加。到銀行借錢銀行職員主要是看這資產淨值，考慮打個折扣可以借多少。借錢是負債。可以借多少呢？原則上可以借盡地球上所有可借的錢。只要資產淨值上升得精彩，這家公司無論收入多少或虧蝕多少也不會倒閉。原則上，這家公司的負債甚或財政赤字可以高到天上去，因為預期的未來收入會反映在資產淨值這項目上。

一個國家也是一間公司，但因為種種原因沒有可靠的資產負債表。中國的國營企業一般有。讓我舉一個足以欣賞的實例：成都的"寬窄巷子"。這個文化消閑的商業項目全由政府擁有，用註冊公司從銀行借錢投資五億人民幣，興建後所有商店租出去私營。二〇〇四年策劃動工，二〇〇八年啟業，兩年後估值十五億。假設原先借下的五億沒有清還過，這家國企今天的資產負債表大概是資產十五億，負債五億，資產淨值十億。從任何角度衡量寬窄巷子是成功的投資，負債大可再增幾個億來作其他投資去。

這個實例教我們很多。第一，國企投資當然可以虧蝕，但私人企業也可以虧蝕。今天的中國，責任上國企不比外間的私企差，而我的感受，是比起外間的上市公司，國企幹部的職責界定比外間的來得嚴謹。第二，國企的幹部非常清楚哪些事項他們會做得比市場較有效率，什麼應該判出去讓市場的私營運作從事。後者他們是不會染指的。第三，整個體制的合約組織重要。界定責任就是界定權利。只要這界定的合約組織運作得宜，是否私產是不重要的。

社會成本與社會收益是關鍵

讓我談第二類項目：基建如公路、高鐵等。由政府策劃及建造，使用者要交費，扣除利息，政府可以有盈餘也可以虧蝕。這裡的問題是收費的進賬或多或少外，界外的效應（外部性或所謂社會效益）重要，但不容易算得準。協助工業發展的利益難以估計之外，公路所及，影響地價上升是利，影響地價下降是損。這些都要算進基建投資的考慮。可能因為中國人多，公路等基建項目通常比美國的成功。美國的公共交通設施，單從直接收費衡量，政府投資十次輸足十次。

最後一類政府投資最麻煩。擺明有社會效益，但政府不收費，或要補貼，於是以抽税的方法處理。醫療、教育、福利、公安、國防——後者包括戰爭——屬這類。公安與國防的社會成本及社會利益我沒有考究過，但醫療、教育與福利的政府補貼，我知道的通常沒有可取的社會效果。布坎南等學者作過不少研究，結論一律説是災難。原因是這些項目由政府處理其成本一律遠高於市場處理，而社會效益模糊不清，利益團體容易渾水摸魚。

這就帶到本節要作的結論。政府的財政赤字是指税收（及其他收入）低於支出。究竟這財赤可以容許多大，答案是原則上可以無限大。關鍵是從社會整體看，政府支出的回報是否有盈餘。這盈餘的或大或小，甚或負值，難估計。尤其是，社會的成本與社會收益往往無從直接量度。如果一個國家的政府有上蒼之能，可以按時算出準確的國家資產負債表，社會的收益是否高於社會成本，會反映在該表的資產淨值的變動。房地產總值的變動，人民的知識資產的變動，扣除有關的社會成本，會反映在國家的資產負債表的資產淨值的變動中。只要這淨值有長進，反映着的是國民收入的增長——包括預期的增長——高於有關的社會成本。這樣，政府税收不足，有財赤，發行貨幣填補是不會引起通貨膨脹的。

政府花錢不是禍，大事花錢也不是禍。亂花一通——不管社會收益與社會成本那種——才是。亂花一通，這一代的財赤會是下一代的悲哀；花得有道，這一代的財赤會讓下一代收成也。

結語

經濟學的確沒有什麼微觀與宏觀之分。來來去去都是我曾經提出的三方面的理論結構，只是處理或需要解釋的現象可以大略地劃分。例如失業、通脹、經濟增長或不景等，經濟學者喜歡歸納在宏觀那邊去，但分析還是基於同樣的理論基礎。

很奇怪，從解釋現象那方面衡量，我個人對微觀的比宏觀的有興趣。例如優座票價為何偏低，中國昔日為什麼會有盲婚這風俗，佃農分成的產出效果為什麼會跟固定租金的產出一樣，等等，行內皆一律看為微觀的現象，而我就是偏偏對這些比什麼通貨膨脹、國民收入、經濟增長等話題有較大的興趣。我可以容易地為蜜蜂採蜜這種瑣碎現象寫出一篇好文章，甚至寫得歷久傳世，但要我寫通脹與經濟增長的關係，不是不可以，但不會有興趣或衝動去寫。經濟學可以動筆的題材多如天上星，為自己的興趣動筆是一回事，為改進社會是另一回事。作為經濟學者我是個小人物。

參考文獻

A. Marshall, *Principles of Economics*. Macmillan, 1890.

I. Fisher, *The Theory of Interest*. Macmillan, 1930.

J. M. Keynes, *The General Theory of Employment, Interest and Money*. London: Macmillan, 1936.

A. Leijonhufvud, *On Keynesian Economics and the Economics of Keynes*. Oxford University Press, 1968.

A. A. Alchian, "Information Costs, Pricing and Resource Unemployment," *Economic Inquiry*, 1969.

S. N. S. Cheung, "A Theory of Price Control," *Journal of Law & Economics*, 1974.

S. N. S. Cheung, *Will China Go Capitalist?* Institute of Economic Affairs, 1982.

S. N. S. Cheung, "The Contractual Nature of the Firm," *Journal of Law & Economics*, 1983.

S. N. S. Cheung, *The Economic System of China*, Hong Kong: Arcadia Press, 2008; Beijing: China CITIC Press, 2009.

邏輯上，不引進虛無悖論，財富累積的理論推不出來。以產出為主的資產，作為財富累積的倉庫，有收入預期以利率折現的上限。如果社會只有這類資產，沒有空置，產出的收入消費後餘下來的，不容易找到地方累積。虛無悖論說的倉庫，本身沒有產出，沒有收入折現，容納累積的上限不存在。任何社會，有生產力的資源就是那麼多，愈是運用得宜，收入增長愈快，財富的累積愈需要沒有上限的倉庫的協助。

第四章：財富累積的倉庫理論

第二章寫《利息理論》，細說了收入與財富的概念；第三章寫"宏觀"，分析了國民收入。沒有花掉的國民收入累積起來是財富的增加。財富累積英語稱"資本累積"（capital accumulation）。第二章解釋過，資本與財富（wealth）相同。從中國的文化傳統看，稱"財富累積"是較為通俗易懂的。

財富累積是大難題。此題涉及的收入與財富的理念應該以費雪的為首。昔日做研究生時大家希望從費雪的思路找到答案。老師赫舒拉發當時是闡釋費雪理論的主將，一九六四年我問他財富累積的分析，他直言高深莫測，自己沒有答案，說希望有一天我能把這難題摘下來。赫師推薦他說自己讀不懂的、弗里德曼一九六二發表的《價格理論》的最後一章，是關於財富累積的。我也讀不懂。好些年後弗老對我說那章是他最稱意的理論分析，我再讀也不懂。當年道聽途說，大師如魯賓遜夫人和哈耶克，因為苦思財富累積這個難題而差不多患上精神病。恨不得赫舒拉發還健在，因為我終於找到一個角度把財富累積這難題摘下來。

第一節：累積要有倉庫

這角度的構思起自二〇〇六年。當時內地的樓價急升，北京出手打壓樓市，朋友問我怎樣看。我不經意地回應："人民的

收入上升了，消費後餘下來的你要他們放到哪裡呢？一般而言，買樓作為財富的累積是個好去處，為什麼要壓制他們那樣做呢？”我明白北京擔心的所謂泡沫的問題，但多供應建造樓房的土地可以解決，打壓樓市是妨礙了財富累積的一個重要選擇。

二〇一〇年三月二十三日，在回應復旦大學張軍教授寫的書評中，我發揮：

關於經濟增長，財富累積是重要話題，我曾經像弗老當年，從費雪的《利息理論》入手，所獲不多。年多來得到金融危機與中國房地產的啟發，我想到一些新角度或可打出去。

新角度有兩個相關點。其一起自美國二〇〇八年的金融危機：那些所謂“毒資產”只是一些紙張，寫着的財富下降至零什麼也沒有。如果財富的累積是房地產，其價暴跌資產還在，有用途，有租值，止跌回升的機會存在，不會出現絕望之境。股票財富的暴跌差一點，但有關機構一日存在，股民有機會收復失地。第二點，有關的，是這些年北京屢次要打壓樓市。我明白他們的目的，但在經濟增長得好的中國，一般市民要通過投資來累積財富，最安全可能是在房地產打主意。不容許他們這樣做，或在政策上有意或無意間令房地產的投資者損手，不智。我可以容易地想到極端的例子，說打壓樓市可以把整個經濟搞垮。

這就帶來以生產函數分析經濟增長的困難，也有兩點。其一是沒有上佳的財富累積理論的支持，生產函數理論是建在浮沙上。其二是把生產要素放進函數，制度不對頭產出會失靈。我是懂得生產函數分析的，曾經很熟，知道“做是三十六，不做也是三十六”的函數很搞笑。

分析經濟增長，多年以來我只着重兩點：一、資源的局限；二、競爭的制度。這些是上世紀五十年代經濟增長學說興起之前的老生常談，從古典的斯密到新古典的馬歇爾都那樣看。經濟的增長由競爭制度帶來的資源使用決定，亦老生常談。我的貢獻，是得到阿爾欽及科斯的啟發後，把制度分析改進了。改進的重點是把產權約束競爭逐步發展為以合約約束競爭；把交易費用推廣為社會費用，再轉一下角度，看為約束競爭的費用；把租值消散與制度費用掛鈎，而制度增加效率則看作是租值消散下降了。本來是頭痛萬分的財富累積一下子簡單起來，因為可從資源租值的上升看。租值上升帶來的資源價值上升就是財富累積了。財富累積的分析，從利息理論的通道發展很難走，從資源租值變動的通道推進順利得多。

"租值"這個概念有好幾種變化（見第五章），處理得高明皆精彩。這裡提到的租值可以看為費雪的年金收入或弗里德曼的固定收入（見第二章），以利率折現是財富。一時間那高深莫測的"財富累積"變得豁然開朗。累積財富，跟累積任何物品一樣，需要有倉庫！忘記了倉庫，財富不知放到哪裡，是財富累積的思考困難的主要原因。

沒有完整無缺的倉庫

不止此也。倉庫是否廣東人說的"冇穿冇爛"是重要的問題。數百年前荷蘭出現的"鬱金香危機"（tulip crisis）很有名，從這裡提出的角度看是財富累積的倉庫破裂的例子。當時那裡的市場把鬱金香球莖的稀有品種之價炒到天上去，可以看為財富累積上升，跟着舉國的人搶着在家中後園嘗試培植，不再稀有，這倉庫破裂收場。天下間沒有完整無缺、永不可破的財富累積的倉庫。然而，如果一個經濟完全沒有累積財富的倉庫，不可能發展起來。

說起來，財富累積的倉庫可能近於神話，比昔日荷蘭的鬱金香還要神奇，但可以持久不破，可以是累積財富的好去處。我因而要在下面的第二節用想像力推到盡，介紹自己發明的"虛無悖論"，把乾隆皇帝封為主角，讓同學們開心一下。

這裡還要先說的，是以貨幣作為財富累積的倉庫看是劣着，可能是這話題歷來找不到答案的另一個原因。貨幣是交易的計算單位，也是財富累積的計算單位，但貨幣的本身不是倉庫。儘管弗里德曼曾經說有些人在家中儲藏着很多鈔票，但畢竟沒有誰會不斷地增加鈔票的持有。把錢存進銀行有些人會不斷地累積銀碼數字，算是倉庫，但銀行要把錢借出去才可以生存。本質是服務，不是倉庫。銀行本身是一間公司。公司或企業是倉庫。購買銀行股票是財富累積的投資，但那只是眾多財富累積的倉庫的其中一種。沒有其他財富倉庫的支持，銀行要賺錢是不可能的。

第二節：虛無悖論

"悖論"是英文 paradox 的中譯。有幾種解法，都有點模糊。用在這裡的意思，是一組言辭彷彿互相矛盾，說的卻是真理。我以"虛無"來形容這悖論，是說一些累積財富的倉庫可以持久地穩固，內裡藏着的很值錢，但沒有產出，看不到給擁有者帶來什麼租值或收入。只是市場有足夠的人認為值錢，有需求，就值錢了。既然值錢，利息的放棄是擁有的代價。這樣的倉庫藏着之物的市值會變動。這市值的上升是回報，下跌是損失，二者的變動代表着財富累積的變動。財富的變動對人的行為有重要的影響，某程度帶動着經濟發展的進或退。當一個人無端端地有了錢，或變得富有，他面對的局限約束是放寬了，行為的選擇範圍於是增加，為了爭取更富有，在制度可取的社會中會多做一些增加國民收入的投資。

上節提及，資產的升值代表着財富累積的增加，因此，所有資產皆可以看為財富累積的倉庫。問題是，在費雪的傳統中，資產有生產力，帶來租值或收入，而這些收入以利率折現是資產的價值，稱財富。這也是說，靠預期收入折現的資產財富，收入的上限約束着財富累積的上限。另一方面，本身毫無生產力的資產也是資產，但我們無從以其產出的收入折現。這類資產的主要用場是累積財富，而正因為本身沒有產出收入，作為財富累積的倉庫這類資產是沒有上限的。這後一類當年費雪沒有分析過。以“倉庫”來描述這類資產是恰當的，雖然其他有生產力的資產也是財富累積的倉庫。

古物收藏是倉庫

我說的是收藏品：藝術、古玩、文物等收藏。為求一個完整的“虛無”構思，這裡我集中在那些數量不會再增加的古物或作者已經仙逝的作品上。這些物品不像土地，不是生產要素，本身不會產出。讓我再假設這些收藏品不是掛在牆上欣賞的那種——收藏只是為了“藏”，希望升值。好些花巨資購買這些收藏品的君子、仕女們，對這些藏品毫無研究。在神州大地，自二〇〇〇年起，他們一般沒有猜錯，買中馬而大有斬獲的可真不少。

上述的收藏品是財富累積的倉庫。雖然在第二章我細說了複息利率的殺傷力，持久地收藏不容易鬥得過利息代價的蹂躪。然而，收藏品的市值上升不是平穩的，可以有大幅的波動，機緣巧合，市值的上升可以有一段長時期高於利息的代價。上世紀八十年代，因為日本的經濟不濟，法國印象派的畫作下跌得急，但十年後回升。今天回顧，六十年前收藏印象派的畫，選擇得對，其升值高於以複息算的利息。

雖然持久的收藏不容易鬥得過利息的放棄，但只為藏而下注的收藏品可以是很好的財富累積的倉庫。歷史上，這類倉庫，只要形成得穩固，沒有出現過荷蘭鬱金香那種破裂現象。然而，沒有產出收入的支持，倉庫的穩固形成可不容易，要有如下四個條件的支持。

訊息費用惹來贋品

條件一。收藏品之價上升得夠高，贋品一定湧現，而中國人的假冒本領了不起。可靠的倉庫的形成是市場要有足夠而又可信的鑑證專家的存在。訊息費用歷來是收藏品的重要話題。一九七五年我調查玉石市場得到的一個結論，是沒有鑑證專家，玉石不會有微小的優劣排列，市場不容易搞起來。這裡說的收藏品鑑證跟玉石不同：玉石主要是鑑別優劣，藝術古物主要是鑑別真假——後者的孰優孰劣主要是由收藏者自己判斷的。

收藏品的真假鑑別遠比玉石的優劣鑑別難度高，可靠的專家少很多。這是高檔次的收藏品往往由拍賣行處理的原因。基本上，大有名堂的拍賣行靠鑑證生存，雖然一些朋友認為那裡的專家不怎麼樣。不見經傳的拍賣行一般賣假貨，有時誤把真貨作假貨賣。大名鼎鼎的拍賣行也屢有贋品，而有時頂級專家認為是真他們卻說是“傳”，指傳說，即是打上問號。有時拍賣行說是真，好些專家也說是開門見山地真，但拍前另一些專家說是假，導致其價暴跌。

總言之，鑑別真假是非常頭痛的事。我的觀察，是不親自收藏不容易學得鑑別，而學會了可能秘技自珍。這裡的要點是，以收藏品作為財富累積的倉庫，提供訊息的專家費用高，且不一定有確實無誤的判斷，某程度有懷疑的收藏品有高價成交的實例。可以肯定的，是訊息費用愈高，收藏品作為財富累積的倉庫的用途愈小。

數量要適當

條件二。收藏品的數量不能太多，也不能太少——要適當。何謂"適當"是有着複雜的層面。二〇〇九年，一小幅宋代曾鞏的墨寶在北京拍賣，成交價逾一億人民幣（該作九十年代中期在紐約拍賣四十七萬美元成交）。拍出逾億高價，一個原因該作是孤本。(按：二〇一六年曾鞏之作在北京再拍，成交價逾人民幣二億，是很不俗的倉庫了。）不能說是數量太少，因為這作品歸屬的倉庫是古書畫的整體。二〇〇九年北京的拍賣市場"炒宋"，即是説所有宋代的書畫一時間大熱。一個龐大的書畫倉庫之內可以分書畫，可以分時代，可以分作者等。是大大小小的不同倉庫，一間包一間，有關聯，互相協助。任何一件作品的本身是一個小倉庫，孤本亦然。因為遠為龐大的古書畫倉庫引來顧客，數得出是唐宋八大家之一的曾鞏的孤本賣逾億不誇張。拍賣行喜歡把收藏品分門別類，意圖把不同收藏品的倉庫分開，使有興趣的問津者可以分開地集中，務求"成行成市"。

這裡順便一提。在同類的收藏品中，那些所謂"精品"的，在市價一般上升時其升幅的百分率通常比較大，而市價一般下降時其跌幅百分率比較小。不是永遠如是，是概率如是。有三個原因。其一是精品通常不多，其存在市場通常知道。比較平庸的不僅遠為量大，其總量究竟有多少市場通常不知道。其二，稱得上是精品的，假冒遠為困難，出現贋品的機會比較少。其三是精品難求，擁有者賣了出去不容易買回來，所以一般不願意放手。

問津者要夠多

條件三。成行成市重要。有適當的數量之外，有興趣的問津者愈多幫助愈大。拍賣行是喜歡大搞宣傳的。多問津者這個條件，中國九十年代中期起的發展得天獨厚。中國人口多，經濟發展快，有深厚的文化與收藏傳統。另一方面，這些年北京喜歡打壓樓市，偶爾又打壓股市，但收藏品之市是難以打壓的。要在內地打壓收藏品的拍賣嗎？癮君子會轉到香港的拍賣行去。收藏品的進出口有大麻煩嗎？我賭海關的君子們見到曾鞏的孤本不會知道是何物。我提到拍賣行是為了示範，他們處理的收藏品只是很小的一部分。

跟這裡有關的，是某倉庫內收藏品的分布重要。例如博物館的收藏跟民間的收藏，性質不一樣，二者的比例如何對市價有影響；又例如要是民間的收藏過於集中在幾個人的手上，對倉庫不利。

風格或個性重要

條件四。以收藏品作為財富累積的倉庫有幾個層面，大小不齊，然而，一個稱得上是健全的倉庫，其藏品通常有該倉庫的風格或個性，或有自己的派別。外行人可能不知道，拍賣行不一定分得對，但慣於收藏或善於鑑賞的通常可以一看就知道是哪種風格，屬哪個年代或哪一類。這些老手不一定是鑑證真假的專家，但他們懂得品嘗。稱得上是健全的收藏倉庫，必定有一群這樣的品嘗專家支持着，然後帶動其他未入門的走進門內去。

從上述四個需要的條件看，一個健全的收藏品倉庫的形成可真不易，而正因為得之不易，失之也難。一個健全的收藏倉庫可以長存不破。

印象畫派對乾隆皇帝

要舉出收藏倉庫的成功例子，西方應該首推法國十九世紀的印象派畫作。中國呢？今天看我選十八世紀的乾隆皇帝。乾隆不僅是神州歷來最大的收藏家，也可能是人類歷史的收藏一哥。此帝也，有點發神經，收藏興趣廣泛，工程之巨屬天方夜譚。我個人認為乾隆自己指導炮製的物品有點俗氣，但風格明確。(他的書畫收藏有他的題跋、璽印風格。) 不亂來，乾隆凡事苛求：瓷器華麗，玉雕精絕。魄力雄強，這個皇帝寫過逾萬首詩；手癢，到處題字，遺留下來的墨寶無數。好印章，今天有著錄的約兩千件，沒有著錄的更多。別的我沒有研究，但有點研究的印章鈕雕，我認為乾隆御用的來來去去是同一組人，不僅風格相同，刀法也差不多。這樣的皇帝日理萬機，六下江南，竟然活到八十八歲。

促成乾隆物品（他的收藏品、炮製品、墨寶等）成為今天收藏品的一個極為成功的財富累積的倉庫，量大而又風格明確之外，他的慎重處理也重要。書法有《三希堂法帖》的拓本傳世，而三希堂收藏書法之外還多有其他；其他著錄有《石渠寶笈》、《乾隆寶藪》等。這些著錄重要，因為協助了減低鑑證的訊息費用。其他沒有著錄的乾隆“物品”無數。我們可以這樣看，所有曾經在北京故宮及圓明園的收藏品皆可算進乾隆的範圍。

如果中國的人口不是那麼多，這些年經濟增長不是那麼快，今天作為財富累積的收藏倉庫，乾隆物品可能因為太多而使這倉庫降為二等。世界各地的博物館吸收了好一部分，可能是大部分。然而，九十年代初期，乾隆的書法及其他與他有關的物品不是那麼值錢。當時你花一兩百萬港元可購進多件，今天肯定發了達。這可見一個財富累積的倉庫的形成以至達大成之境，要講時日與幾種條件的結合。這些條件，乾隆物品近於拿滿分。論收藏，有朝一日這些物品組成的“乾隆倉庫”可能雄視地球。回顧人類的收藏歷史，從不成氣候轉為有大成的倉庫的例子不少。好些收藏的朋友喜歡猜測哪些藝術作品有大幅升值的前途。我認為他們應該擴大考慮的範圍，考慮他們有興趣收藏的會否打進一個健全的財富累積的倉庫。

虛無悖論的主旨

回頭說虛無悖論，我要說的主旨是累積財富的倉庫不需要是有產出回報的資產，不需要是公司機構，不需要是今天的產品，也不需要是書本說的生產要素。需要的是市民有錢購買，在上文提到的四個條件的維護下，他們的共同興趣可以促成一個健全的倉庫的形成，有持久不破的能耐。

本身沒有產出功能的收藏品，可以用作抵押借錢投資，或因為對收藏者的生計給予保障，會鼓勵多作有產出的投資。收藏的市場是你看着我，我看着你，你要我藏的，我要你藏的，在滿足上述的四個條件下，累積財富的倉庫就堅固起來了。不是說市價不會下跌，而是說不是荷蘭昔日的鬱金香。

說過了，收入增長帶來的財富增加總要找些地方累積起來。可靠的倉庫愈多對經濟發展愈有利，因為選擇的範圍擴大了。原則上，市場對不同倉庫或資產的取捨的均衡點，是扣除了擁有者的不同快意、管理的不同麻煩、倉庫的破裂有不同的機會等，其預期的回報率應該一樣。除了非法行為，政府打壓任何一種倉庫，對經濟發展的整體皆不利。

第三節：有產出的資產

資產的價值是財富；這價值的變動是財富累積的變動。市場有價，社會的財富一律算進資產的價值上。一般而言，在知識與科技發達的今天，社會價值最高的財富是知識資產。然而，沒有奴隸買賣，人力（包括知識）不能像房子那樣以產權易手之價算財富。我們只能把預期的年金收入或租值以利息率折現來作一些大概的估計。如果政府頻頻干預利率，財富的估計更為困難。開放改革前的中國，資產一般沒有市場，租值難以估計，加上利率模糊，財富的估計大概地對也辦不到。發明專利與商業秘密的知識資產是可以買賣的，很複雜，是卷三的話題。

在今天大家熟知的市場經濟中，原則上所有資產都是財富累積的倉庫。資產升值是財富累積上升了。我們在上節討論的“虛無悖論”是個重要的理解財富累積的起點。我指出以古物收藏品作為財富累積的倉庫，只是“藏”，沒有產出的收入或租值。藏品升值是希望的回報，利息的放棄是代價。這些收藏品不僅值錢，在某段時期——甚至長時期——其升值可能大有可觀。歷史的經驗說這種倉庫往往長存不破，可以是上選的財富累積的地方。是市場的參與者的互相需求，願意出價，促成沒有產出的收藏倉庫的頑固存在。需要的四個條件我解釋過了。

敏感的財富變動

轉到今天還可以繼續增加的收藏品，例如還健在的藝術家的作品，或鑽石、首飾之類，也是財富累積的倉庫。這裡我要補加一個定律：凡是續有供應愈多的收藏品，收藏者對該品的欣賞或享用的需求一定愈大。你可能花巨資購買一件自己不喜歡的古物，但產量還會繼續增加的藝術品，你要遠為着重自己的欣賞才下注。這定律同學們可以自己想出解釋吧。

有產出能力的資產——例如一塊土地——是國民收入的根源。虛無悖論所說的資產是沒有產出收入的。沒有產出的資產倉庫不可能獨自存在，要靠有生產力的其他倉庫的支持。市場的君子、仕女們要購買古物收藏，促成這些沒有生產力的財富累積的倉庫存在，要靠其他有生產力的資產倉庫給他們帶來收入。這解釋了沒有生產力的收藏品的市值，對國民收入的增長是格外敏感的。日本的經驗我說過了。中國呢？自八十年代中期起還健在的藝術家的收入上升得快，而二〇〇〇年通縮終結，數量不會再增加的收藏品的價值上升速度驚人。這樣的上升速度可以持續多久很難說，要看國民收入的持續增長率，也要看利率與人民幣值的變動。最困難的估計，是人口十三億多的中國，今天（二〇一〇年）好收藏的可能只是很少的一部分人。收藏是有傳染性的玩意。有錢的人多了，知識與文化的欣賞增加了，收藏的人馬會增加多少我不知道。附庸風雅是有錢人的玩意，歷史來來去去那樣說。（二〇一六年按：近兩年中國的經濟不妙來得明顯，收藏品之價下跌，但精品之價還是高企，只是檔次一般的跌得慘，出現了一個小蠻腰現象。）

說到有生產力的財富累積的資產，我們可分三大類。一、土地及房產；二、企業或公司機構；三、知識資產。這裡要先說的，是上節提到的收藏倉庫的四個必需條件，有生產力的資產倉庫近於完全不需要。以有產出的土地為例，我們不需要專家鑑別真假，不需要有適當的土地總量，不需要有夠多的問津者，也不需要論什麼風格。有產出收入是足夠的支持。當然，企業可以做假賬，或知識可以弄假名頭，但這些有資料可查，用不着苦學多年而還有問號的專家。

財富可以按時增長

先談土地資產吧。我只用簡單的農地說。簡化，讓我假設沒有通脹，人口與收入不變，農產品的每畝產出是永遠一樣的。這樣，減除耕耘費用餘下來的是農地的租值，永遠不變。這租值年金除以利率（折現）是農地的價值，也是持有該農地的人的財富，永遠一樣，不加不減，是增長率為零的累積倉庫。租值的年金收入與利息相等，即是租值與地價的百分比與利率相同。

現在假設人口或收入按期增加，預期準確的農地收入按期增加，有一個增長率。這樣，農地的租值會按年增加，年金收入是預期的租值折現後乘以利率。因為租值每年增加，遲一年折現的財富會比早一年折現的高。農地的市值或財富於是按時增長。每時期看地價乘利率等於預期的年金收入，但財富的累積在上述的假設下按時上升，反映着農地之價按時上升。這是說，收入預期的失誤可以導致財富的變動，但財富的變動不一定代表着預期失誤——因為財富可以跟着準確的收入預期而按時變動。這樣看，如果你肯定樓價會按時上升，但這預期升幅加上可收的租金低於利息，你不會搶着購買。

轉談企業或公司，也是財富累積的倉庫，其股票之價的上升或下跌代表着財富累積的變動。原則跟農地一樣，但這裡的問題比農地複雜很多。新產品的銷售前景如何，管理問題如何，政府朝令夕改的法例如何，就是狀元也不容易拿得準。簡單地說，一間上市公司的股票的市盈率（price-earning ratio），是反映着市場對這間公司的前景預期。不同公司或不同行業的市盈率的差距可以很大，而此率的大幅變動有幾種不同的闡釋，這裡不說了。

學問要用生命換取

最後談知識資產。今天的社會知識資產是最重要的財富累積的倉庫。百多年前的馬歇爾與上世紀三十年代的費雪早就這樣說。知識是共用品，可能錯，但死不掉，可以一代傳一代，一層一層地累積。知識投資是我初出道時的熱門話題。複雜，這裡不能多說。可以指出的，是我們今天在比較現代的家庭中，目光所及之處，不容易看到一件物品不是曾經有多項發明的支持。盤古初開的人住在山洞中。我曾經花幾年時間，用了一個基金不少錢，研究發明專利與商業秘密及這些知識資產的租用合約。得到的成果寫了一篇長報告，二○○五年收進自己的《英語論文選》中。

也要說的是除了專利知識與秘密知識，求學通常是風險低回報高的投資。問題是錢再多也不能把學問知識收購為己有。金錢之外，學問要用生命換取。花時間，要放棄今天的收入來換取明天的收入，而借錢求學不是舉手之勞。說實話，求學是苦事，要有成就苦得很。可幸是有趣的玩意，而學問有成帶來的驕傲金錢買不到。我在《吾意獨憐才——五常談教育》那結集中談到求學的多方面，也在《科學與文化》一書中解釋了做學問是怎麼樣的一回事。

第四節：倉庫容量沒有上限重要

一個國家的財富是所有資產的價值加起來的。財富累積歷來是經濟學的大難題。前輩們沒有從“倉庫”的角度看，要不是忽略了資產價值的變動，就是忽略了一些重要的資產。虛無悖論說的沒有產出收入的資產倉庫重要。除了我說的古物收藏之外，一些其他資產某程度有一點收入的"虛無"，協助着財富的累積。不考慮這方面，我們不可能從收入增長的角度找到財富累積的均衡點。在第二節我們指出了一個要點：單靠有產出的資產作為財富累積的倉庫，財富的上升不能超越產出的預期收入折現的上限，而如果所有資產皆如是，其價值一律達到上限的頂點，市民賺的但沒有用於消費的錢找不到地方安置！財富累積的理論因而需要有沒有價值上限約束的資產才能找到均衡點。

引進虛無悖論，財富累積的社會均衡點就變得簡單了：扣除了不同的喜好、不同的管理麻煩，等等，均衡是不同資產的回報率相同。沒有產出的資產要從升值看回報。回報通常基於預期，後者看不到、摸不着。然而，均衡本身也只是概念，不是事實。找到均衡點是說推理有了一個完整的邏輯架構，也是說我們可以從局限的變動推出可以驗證的假說。當然，交易費用的存在會使分析變得遠為複雜，但畢竟我們是有了一個完整的分析架構。

自二〇〇〇年中國的通縮終結到寫此章的二〇一〇這十年間，中國的房地產與收藏品（後者包括還健在的藝術家的作品）的價值上升得非常快，反映財富的累積有着驕人的增長。其他資產的升值數據我們或是沒有，或是難明（例如股市）。這就再次帶到沒有產出收入的收藏品給我們的啟示。這個財富累積的倉庫是全靠有收入的資產倉庫的支持，其升或降對國民收入的變動很敏感。可惜我們無從猜測好於收藏的人數是否到了一個飽和點，也不知道還會增加多少。

邏輯上，不引進虛無悖論，即是不引進沒有產出因而沒有價值上限的資產，財富累積的理論推不出來。虛無悖論說的倉庫，本身沒有產出，沒有收入折現，容納累積的上限不存在。

任何社會，有生產力的資源就是那麼多，愈是運用得宜，收入增長愈快，財富的累積愈需要沒有上限的倉庫的協助。本章第二節解釋了，後者倉庫的形成及穩固是要講條件的。

當然，上述只是推理邏輯的需要——在真實世界，科技的發展可使土地的價值不斷上升，何況可以產出的土地及其他資源，今天空置着的還有不少。但邏輯上，引進沒有產出的資產不僅放寬了財富累積的上限約束，而且在推理時投資的邊際回報率相等這個均衡理念，運用起來有一個寬鬆的好去處。

結語

還是以乾隆皇帝收筆吧。二〇一〇年十月，三件乾隆物品在香港拍賣成交。一個玉璽一億二千多萬；一對琺瑯瓶一億四千多萬；一個葫蘆瓶二億五千多萬。據一個識者提供的資料算，其中一件的市值五十多年上升了四十萬倍——平均每年的複息增長逾二十三釐！這可見沒有產出收入的資產的財富累積近於沒有上限。或者說這上限只是受到其他資產的收入的約束。至於上述的不同資產回報率相等的均衡，沒有收入的資產可以隨時由市場重估所值，然後以重估後預期的升值看回報。有收入的資產，收入是回報，而我們解釋過這樣的資產可以按時升值。

這裡我要給同學們一些提點。花點時間去研究及欣賞藝術品或古文物是我知道的回報率最高的投資。這主要是因為學習鑑賞藝術品或文物，本身就是一種享受，何況在社會交際時可以表現出自己在文化上有點修養。問題是你要找機會拿着一些實物在手觀摸才可以真的學，也要有些算得上是懂的人指導一下。書本的資料往往誤導。

參考文獻

I. Fisher, *The Theory of Interest*. Macmillan, 1930.

J. Robinson, *The Accumulation of Capital*. London: Macmillan, 1956.

M. Friedman, *Price Theory*. Chicago: Aldine Publishing Company, 1962.

既非流動，也不靜止，盈利是無主孤魂。意外的收入，來無影，去無蹤，不可以利率折現。盈利是不能折現的收入。事前不知道會發生，事後也不知何日君再來的盈利，沒有理論可以解釋。

第五章：成本、租值與盈利

經濟學用的成本（cost）、租值（rent）、盈利（profit）等詞的意思，與街上人的共識很不相同。不是經濟學者故扮高深，或要標奇立異，而是理論邏輯上的需要。差之毫釐，失之千里。一般人在茶餘飯後所說的，大家都領會。不是用理論解釋行為，概念的正確性不重要。我自己對行外朋友所說的"成本"等詞的意思，與跟行內朋友說的不一樣。

令人遺憾的，是經濟學課本對這些概念往往在行內與行外之間落墨。不一定因為作者自己不明白，而是出版商要求課本有市場，要顧及一般的理解力。寫課本的往往明知某些概念有問題，也要放進去。昔日寫課本的同事說，好些教授數十年如一日，你說做生意不會有盈利，課本怎會賣得好的？這樣一來，做學生時學壞了，變為教授自己不懂。概念上的謬誤歷來根深蒂固，不易改正。我在本卷的第一章力陳概念的正確掌握重要，要頻頻用真實世界的觀察印證才可以學得好。同學們要摒除成見，或忘記自己學過的，才考慮老人家的解釋。

第一節：何謂成本？

西方經濟學所用的cost這個字，中譯困難。八十年代初期跟幾位懂中文的朋友考慮了一段日子，大家認為把cost譯作"成本"不大恰當。這些年以中文下筆，我有時用"成本"，有時用"代價"，有時用"費用"、"耗費"等，都是cost的中譯。我想，要是這裡能寫得讀者明白我為什麼那樣舉棋不定，那我的解釋就差不多了。

先來一個定義吧：成本是無可避免的最高代價。“代價”是指放棄了些什麼。捨乙取甲，乙是甲的代價。這樣，成本是指“機會成本”(opportunity cost)。問題是，所有成本都是代價，都是機會成本，“機會”說出來是多餘的，應該省去。這好比價格永遠是相對的，所以用“相對價格”這一詞就多用了兩個字。經濟學上沒有不是“機會成本”的成本，沒有成本不是代價。正確的英語定義是：The cost of an event is the highest-valued opportunity necessarily forsaken。

成本起於有選擇

成本是因為有選擇而起的。沒有選擇就沒有成本。說成本是最高的代價，也就是說放棄的是最有價值的機會。你考慮選甲，要放棄的有乙或丙或丁……哪一個要放棄的對你有最高的價值，就是你要取甲的成本。如果單放棄最高價值的一項而不能得甲，那你就要加上其他的組合來取甲。這組合也一定是可獲取甲的價值最高的放棄。不是最高價值的放棄——不是最高的代價——不是成本。次高或更低的代價對你考慮甲的選擇是沒有關係的。

朋友請你去看一齣電影，你要放棄的可能是兩個小時的薪酬，或是休息兩個小時，又或是跟一個貌美如花的女人談心兩個小時。哪一項你要放棄的價值最高就是你看那“免費”電影的成本。如果跟美女談心值五百元、薪酬二百、休息一百，你的成本是五百，而其他兩項是不需要考慮的。

最高代價不變成本不變

成本既然是最高的代價，那麼最高的代價不變成本就不會變。你去理髮，收費八十元，那是你理髮成本的一部分。花一個小時理髮，那個小時你可以賺一百元，但你放棄了，理髮成本是一百八十元。今天是週末，你沒有工作，時間的價值下降，於是，你的最高代價下降，理髮的成本就下降了。理髮店在週末生意特別好，這是原因。需求定律使然也。

這次去理髮，理髮師不小心，把你的頭髮剪得太短了，不好看。你的理髮成本有變動嗎？沒有，因為你最高的代價沒有變。變動的是理髮本身的價值。這次價值大跌，你事前不知，中了計。要是你預先知道，你不會選這次理髮。這可不是理髮的成本上升，而是預期的理髮價值下降了。

要選取的價值有變動，會影響你的行為；要放棄的價值（代價或成本）有變動，也會影響你的行為。科斯說，要獲取的價值與要放棄的成本是同一錢幣的兩面。問題是要解釋行為，我們要把這二者分清楚。若二者有混淆，比較複雜的推理就變得麻煩了。記着：最高代價不變，成本不變。

泳池的例子：成本永遠向前看

如果你是富有人家，考慮在後園建一泳池。你估計未來每個時期該泳池給你的最高用值（use value），以利率折現而求得一個現值，那是你願意以現金購買該泳池的最高之價了。泳池的成本又怎樣算呢？起碼有三項你要加起來。一、泳池的建造費用；二、水的費用與清潔水的費用；三、放棄了的花園給你的最高用值。這三項你都要以利率折現加起來而求得一個現值總成本，然後以這現值總成本與預期的最高用值折現相比。

上述的泳池例子，有兩個要點我們要澄清。其一是成本可以是流動的，每期皆有，甚至期期不同。但成本也可以是靜止的，以利率折現後而得的一個沒有時間的現值。一般來說，要與用值相比，最可靠的辦法是大家都折現，以現值比現值。以流動比流動是可以的，但遠為複雜而出錯的機會甚大。若以年金（annuity）的算法相比，那就等於以現值相比了（見本卷第二章第三節）。

第二個要點，是泳池建成後，你若考慮要不要繼續保留該泳池，建造泳池的原來成本與你的考慮無關。這是因為建造成本已成歷史陳迹，不能收回來。歷史成本不是成本——這點重要。成本永遠是向前看的——初學的同學要每天早上背一次！

如果你考慮保留泳池，是因為將整間房子連泳池賣出去，房子的售價會較高，那又作別論。歷史的建造成本不是成本，但因為有泳池而房子售價較高，這較高的那部分是不保留泳池的代價，成本也。要是政府發了神經（政府神經是常常發的），禁止城市再建造私人泳池，那你的房子之價可能因為有了泳池而急速上升。這樣，不保留泳池的代價（成本）急升，你的保留意向增加了。

如果泳池建成後，事前可想不到，你的兒子的鄰家小朋友天天跑到你家裡來享用泳池，喧聲震耳，你敢怒不敢言。泳池的成本是否增加了？答案是：成本沒有增加，但用值是減少了。

最高代價不變，成本不變。如果泳池建成後，某石油公司來找你，說你的泳池之下有石油，那你要保留泳池的代價（成本）急升，不保留的意向增加了。

決策要從今天看

我說 cost 譯作“成本”有問題，是因為中文“成本”這一詞往往有“歷史”的含意。以往的，俱往矣，跟你今天要作的決策無關。你買了幾部電腦開公司做某些服務生意。事前你當然考慮電腦的成本與其他支出，與預期的收入比較一下。但若購入了電腦，開了檔，生意不如所料，考慮應否繼續經營時，你不會考慮電腦早些時購入之價，而是今天可以賣出之價。我再說一次：歷史成本不是成本。

成本究竟是真是假，是由個人的判斷決定的。有時歷史成本不應該是成本，但個人所知不足，認為是，就中了計，作了錯誤的決策。記得上世紀七十年代時，我在美國要出售一個照相機的鏡頭，登報叫價美元三百。是早幾年我以五百美元買回來的，用過，折舊二百，看來是適當了。殊不知廣告一出，幾個買家一起來搶購，結果我以四百元賣出。後來我才知道，該鏡頭的新市價是千多美元。訊息不足會影響成本的估計。我當時以“歷史”成本開舊鏡頭之價，是因為自己的訊息不足，被誤導了。

每個人的決策都是今天做，或決定將來再作打算。但我們不能回頭到昨天補作決策。昨天的決策今天看，對是對，錯是錯，覆水難收。以成本作為決策的衡量，我們只能從今天看，或今天決定推到明天才看，但時光不可以倒流。歷史成本可能誤導，但若不是訊息不足，歷史成本不會誤導。本章第一個附錄我節錄發表過的《上河定律》，示範成本概念的應用。

說說譯名的困難吧。Cost 譯作“代價”本來最恰當，但要是我說“生產代價”，中國的文化傳統可能過於隆重，令人想入非非。中語“成本”有歷史的含意，我說過了，也是文化傳統使然。八十年代內地把 transaction cost 譯作“交易成本”。我認為不妥，因為可以使人覺得是包括生產成本。英語 transaction cost 是不會使人聯想到生產那方面去的。我認為譯作“交易費用”比較恰當——今天內地的同學是跟着用了。至於 social cost，有時我稱“社會耗費”，有時稱“社會成本”，皆看情況而定。

交易費用有好幾個不同的層面，本卷第八章我會按層分析。至於社會成本，則屬卷四的話題了。

第二節：比較成本

比較成本（comparative cost）是一套理論，又稱為“比較優勢定律”（the law of comparative advantage）。這定律用以解釋為什麼不同的國家，不同的企業或不同的人，會專業（specialize）生產。其答案是不同的生產單位，生產同樣的兩種或以上的物品，只要生產成本的比例不同，各自選擇在比例上成本較低的來專業生產，然後在市場交易可以互相得益。

弗里德曼（M. Friedman）認為比較優勢定律是經濟學上最重要的理論。我有保留，認為專業生產還有其他重要的原因——這是第七章的話題。然而，從簡單、清楚、客觀、說服力強等角度看，比較優勢定律難得一見，是經濟科學值得引以為傲的。

是李嘉圖（D. Ricardo）一八一七年創立的，其後參與發展的名家輩出，好不熱鬧。於今回顧，以解釋行為來說，主要還是李嘉圖原來的簡單分析。他以兩個國家兩種產品為例，讓我們用他當年的例子談談吧。

兩個國家，英國與葡萄牙，各自生產衣料與葡萄酒，情況如下：

	英國		葡萄牙		
	勞工	產量	勞工	產量	總產量
衣料	100	1	90	1	2
葡萄酒	120	1	80	1	2

如上數字可見，無論生產衣料或葡萄酒，葡國都有絕對優勢（absolute advantage）：兩種產品，產量同樣是一，葡國所需的勞工都比英國所需的少。然而，從勞力成本的比例上看，英國一單位衣料的成本是 0.833 單位葡萄酒（100 除以 120），而葡國一單位衣料的成本是 1.125 葡萄酒（90 除以 80）。這是說，衣料的成本英國比葡國低。轉過來，葡國一單位葡萄酒的成本是 0.889 衣料（80 除以 90），而英國的葡萄酒成本是 1.20 衣料（120 除以 100）。葡萄酒的成本葡國比英國便宜。

成本不同貿易互利

上述是說，兩種同量產品，只要不同的國家所用的生產要素（這裡指勞工量）的比例（ratio）不同，國與國之間的成本一定不同。那是說，若甲國的 A 產品成本比乙國低，那麼乙國的 B 產品成本也一定比甲國低。一個國家可能所有產品所需的生產要素都比較少（都有絕對優勢），但如果上述的比例國與國之間不同，在成本上算，一個國家不可能所有產品的成本都比較低，或任何一國必定有些產品成本是比他國低的。這就是比較成本的概念了。

回頭再看上述的數字例子，若不專業生產，兩國的衣料總產量是二，葡萄酒的總產量也是二。但如果英國專產衣料（成本較低），衣料的總產量是2.20（220勞工除以100）；葡國專產葡萄酒（成本較低），酒的總產量是2.125（170勞工除以80）。兩項總產量都比不專業生產為高。李嘉圖假設葡國與英國以一對一貿易，可以1.125葡萄酒來換取1.125衣料。貿易後，葡國可得1.125衣料，剩下1.0葡萄酒；英國可得1.125葡萄酒，剩下1.075衣料。二者都比一與一為多，而這就是專業生產、互相貿易帶來的利益了。

比較成本的變化

跟着而來的理論發展，重要的有密爾（J. S. Mill, 1848）——此君當年竟然能在有競爭的市場下，推出貿易成交價的釐定（李嘉圖的一對一只是假設）；兩個瑞典經濟學者（E. Heckscher, 1919；B. Ohlin, 1933）解釋國與國之間的比較成本不同，是因為生產要素的組合不同；英國的勒納（A. P. Lerner, 1932）與美國的薩繆爾森（P. A. Samuelson, 1948）指出，國與國之間的貿易不僅在某程度上替代移民或其他生產要素的跨國轉移，而且在多個假設下，不同國家的生產要素價值可以因為有貿易而變為相等。這些都是題外話。

少為人知但比較重要的，是每個國家有不同的比較成本優勢，只能在產品換產品或在同一貨幣的情況下才可以肯定。要是大家有不同的貨幣，而匯率受到管制或其他局限的左右，那所謂購買力平價說（purchasing power parity）可能脱了節，需要或短或長的時間作調整，而在這調整期間一個國家可能失卻大部分或甚至所有的比較優勢產品。一九九七年的亞洲金融風暴，差不多所有亞洲國家貨幣的匯率皆暴跌，但港元的幣值與美元掛鈎，因而失去了不少比較成本的優勢。跟着而來的香港通縮是調整，而這調整有好幾年。

國與國之間的貿易，除不同貨幣外還有關稅、勞工法例等障礙。最明顯的國與國之間跟一國之內的不同，是後者的生產要素可以自由流動，不會有國與國之間的生產要素的不同組合了。

國際與人際原則一樣

一國之內的比較成本理論一樣，分析更為容易。一個小市鎮內最好的醫生也是最好的打字員。做醫生的成本是打字員的收入，做打字員的成本是醫生的收入，這個人當然會選做醫生，因為做打字員的成本比其他打字員高。如果這個人是該市鎮最差的醫生但卻是最佳的打字員，他做打字員的成本也遠比其他打字員高，所以還是選做醫生。這是比較成本的選擇。事實上，在生產要素自由流動的市場中，選擇收入較高的職業，就是比較成本較低的職業了。這是專業生產。

李嘉圖創立的比較優勢定律，用之於一國之內，一鎮之中，甚至朋友之間，皆暢通無阻。但一定要有自由市場，而市場要有私產的權利界定。市場若受到管制，或私產不存在，以專業生產而互利會有很多問題。中國昔日每個人由政府分派工作，要達到李嘉圖的專業互利是紙上談兵。一個人的比較成本做哪種專業較低，沒有市價的指引，靠政府分派工作，訊息費用是太高了。

我自己做了那麼多年教授，對學生提出選擇職業的問題時，只能對他們說我所知的市場情況，選擇最好還是由學生自己判斷，因為學生在不同職業上的能力與喜惡，我不能比他們自己更清楚。知子莫若父，我對自己的子女認識多一點，也關心多一點，但也不敢替他們作職業（專業）的選擇。這不是因為子女不聽我的話；正相反，我是怕他們唯命是從。我怎會不希望子女選上適當的職業呢？他們長大了，受了教育，自己選擇職業，一般來說，會比我替他們選的可靠。如果政府替我的子女選擇職業，你認為李嘉圖會怎樣看？

成本是最高的代價。要生產甲物品，放棄最高價值的乙物品是成本；要選擇甲職業，放棄最高收入的乙職業是成本。比較成本是指人與人之間的比較，或國與國之間的比較——魯濱遜的一人世界是沒有比較成本這回事的。李嘉圖以勞工生產的簡單數字分析，再可以簡化。生產同一物品，或選同一職業，我比你有優勢，不是指本領比你的高，是指我的成本比你的低。這樣，你必定有其他產品，或其他職業，其成本比我的低。相當淺，但第一個想出來的是天才。李嘉圖是天才。

第三節：租值理念的演變

我常對學生說，要學經濟理論，學今天的就可以了。說了這句話之後，我通常作點補充：有些理念，不追溯經濟思想史，我們不容易明白今天的。租值的理念就是這樣的一個例子。要真的明白今天經濟學所說的"租值"，了解一下前賢的思想會有幫助。

先說三個要點

租值（rent）這個理念重要，但相當複雜。先入為主，在介紹租值的思想史之前，我要略說今天我對租值的看法。重要的有三點。

（一）租值是收入，可以預期，可以用利息率折現。然而，與一般的收入不同，租值的增減或轉變是不會影響供應行為的。這裡要小心了。收入轉變，不容易想像所有的行為都不會跟着變。收入轉變，某些有關供應的行為可能不變。租值是一個角度看世界，是從某些供應行為不變的角度看收入。這樣看，收入的轉變不影響行為或資源的使用，租值是"多餘"的，surplus 是也。

（二）租值是成本，可以預期及折現。租值作為成本看不是指資源或生產要素另謀高就的機會成本，而是把生意或資產轉讓或出售的機會成本。例如，一家企業作了投資，生產要素的使用不變，這家企業或生意若在市場出售，其所得是企業的淨值。出售整盤生意也是一個機會，其淨值是不出售（繼續經營）的成本。這淨值可以作為租值看，因為淨值變動，生產行為或供應可能不變。從生產行為不變的角度看，這淨值也是多餘的。本卷第六章第四節分析上頭成本時，我會再分析一家企業的租值。

（三）租值這一詞來自土地，因為從不變的角度看，地租無論怎樣升降，土地的供應量不變。單看不變的土地供應量，地租是多餘的。如果考慮土地有不同的用途，隨時可變，那麼某一用途的土地供應量，會因為不同用途的租金變動而變動。這樣看，土地的租金就再不是我們這裡分析的租值了。

從土地供應不變的角度轉向其他非土地的行為不變的角度，租值這一詞就搬過去了。雖然經濟學者發明了"經濟租值"（economic rent）及"準租值"（quasi-rent）等詞來描述非土地的供應不變，我們可以單用"租值"一詞來代表一切類似的有一般性的情況。今天經濟學的行規，是"經濟租值"或"準租值"是指土地之外的資源或生產要素的使用不變的收入。我個人喜歡一般化，不管土地或非土地，簡單地以租值一詞代表上述的角度看世界。

困難是在應用上租值的角度不容易看。不慣用的一時看到一時看不到，而若看差了推理就容易失誤。因此，回顧一下租值理念的思想史是有幫助的。

古典大師的看法

經濟學鼻祖斯密（A. Smith）一七七六年發表的《國富論》（*The Wealth of Nations*）定下來的分析架構，今天仍在。他把經濟問題分為資源的使用（resource allocation）與收入的分配（income distribution）兩大類。前者是"微觀"，後者是"宏觀"，雖然他的宏觀與今天的不同。其實斯前輩還分析了第三類問題，那是關於勞工與地主的生產制度安排。他認為制度的安排會演變，適者生存，不適者淘汰。這個適者生存的觀點影響了後來的達爾文，後者提出了重要的進化論。

另一方面，適者生存的觀點也影響了辯證法唯物論的發展，使馬克思認為資本主義必遭淘汰。制度既然被視作會被淘汰，不同制度的分析就着重於優劣之分，漠視了解釋不同制度的共存。不同合約的安排，不同機構的組織，在經濟學課本中從來沒有重視過。二十世紀六十年代興起而後來搞得一團糟的新制度經濟學，開頭的十年八載某程度上有復古的意識——回復到斯密的制度分析再搞起來。

關於租值，斯密當年是指土地的收入。他有兩種看法。其一是微觀的資源使用，他認為租值是一項成本，因為土地有不同的用途。成本是放棄了的代價，這個重要而正確的概念，始於斯密。

其二是宏觀的收入分配。斯前輩認為土地是上蒼賜予的，給強權搶來佔為己有。這樣，租值是多餘的（surplus）。地主強人不事生產也有租值的收入，而如果沒有這項收入，土地還會存在。宏觀而言，斯前輩認為土地沒有其他用途，所以地租不是成本。這個觀點一代一代地傳下來，到了喬治（H. George, 1839-1897），就建議單一稅制（只抽地稅）。我們的孫中山先生讀到喬治的《進步與貧窮》（*Progress and Poverty*, 1879），搬義過紙，寫成了三民主義。

到李嘉圖（1817）分析租值時，主要是從斯密的"宏觀"的收入分配那方面看。他把生產的總收入分為工資（勞工的收入）、利潤（商人或資本家的收入）與租值（土地的收入）。他的租值看法繼承了斯密的傳統：租值是多餘的，因為沒有租值收入土地的供應量不變。但李前輩加上一個有爭議的觀點：他認為土地之所以有租值，是因為不同土地的肥沃程度不同——differential rent是也。爭議的起因，是李氏既假設土地有限，又假設肥沃不同，重複了租值的成因。正確的看法，是土地若有限（因而缺乏），肥沃相同也有租值；若土地無限，則要有不同肥沃程度才有租值可言。無論怎樣說，李嘉圖認為租值不是成本：他沒有斯密的微觀的土地有使用代價的概念。

到密爾（1848）分析租值時，他的重點卻又是斯密的微觀看法：土地有不同的使用，有放棄其他使用的代價，所以租值是成本，不是多餘的。但難倒密爾的，是在觀察上不管租值如何，土地的供應量不變。這不變與任何行業的勞工供應可以大變很不相同。

新古典大師的看法

為了解決密爾的困境及其他有關的問題，馬歇爾（1890）提出了長期（long run）與短期（short run）的概念。他認為長期而言，什麼都可以變，但短期就只是某些生產要素可以變。他認為如果在短期內收入變時而供應行為不變的，收入是租值。因為這種看法不限於土地，馬歇爾提出了準租值

(quasi-rent) 的理念。今天，一般而言，準租值是指土地之外的其他類似地租的收入：收入變而供應不變。準租值後來又稱經濟租值 (economic rent)，或簡稱租值 (rent)。那是說，馬歇爾的看法，租值再不限於土地的收入，而是指在短期內任何收入變動而供應不變的收入。可惜馬歇爾棋差一着：他認為土地的總供應永遠不變，所以地租不是成本。

最後一位在租值的理念上對我有影響的，是女性，魯賓遜夫人 (Mrs. J. Robinson, 1903-1983) 是也。在她一九三三年的名著 (*The Economics of Imperfect Competition*) 中，有一章題為《租值閑話》(A Digression on Rent)，很有意思。夫人承受了馬歇爾的準租值傳統，但又追溯到斯密的微觀與宏觀那方面去。

夫人不着重土地，而是一般性地分析收入的租值性。她認為從微觀的角度看，因為個人有選擇，所以沒有租值可言。然而，從社會整體的角度看，所有收入都是租值。說個人 (微觀) 沒有租值，社會 (宏觀) 全是租值，是斯密的傳統，但她帶到非土地那方面去。

貓王的例子

我做學生時，老師談租值最常用的例子，是歌星貓王 Elvis Presley。這個後來成為二十世紀收入最高的歌星，在賣唱及做明星之前是一位貨車駕駛員，每月的收入只數百美元。工餘之暇，他試唱，被發現了，一舉成名，過不了多久每年的收入以千萬美元計！

問題是這樣的。貓王唱歌的收入若大幅度地減少了，他還會繼續做歌星。要貓王回復舊職，重操貨車駕駛員，他的歌星收入要下降很多、很多。這是說，像土地一樣，貓王做歌星不會因為收入下降一個大數字就改變了。這樣，成了歌星，要貓王另謀高就——做貨車駕駛員——其收入要有很大的變動他才會考慮。因此，貓王做歌星的大部分收入是租值，不是成本。(這是不考慮貓王可以簽"賣身契"的機會成本。)

這個傳統的看法不對，因為從貓王個人角度看，東家不唱唱西家，東家的收入就是唱西家的成本；不登台演唱而去拍電影，登台的收入就是拍電影的成本。是的，從個人的角度看，選擇數之不盡，就算同樣登台演唱，改換了一首歌也是選擇，"機會"所在皆是，皆成本也，租值從何而來？

然而，從社會的角度看，貓王的租值的確很高：把他的歌星或明星的收入大幅度削減，他還不會回頭做貨車駕駛員。在大幅的收入轉變中，他做歌星的職業不變。收入轉變而行業或職業不變，其收入可看作租值。

想深一層，貨車駕駛員也是工作。貓王若不做歌星，回頭做駕駛員，他還是在工作。不論行業，單論工作，他的收入要下降至近於零才會不工作。從社會的角度看：只論工作收入，貓王這個人就像一塊土地，工作生產去也。不論行業，貓王怎樣也工作，他的收入全是租值，一命嗚呼才是他的成本。

如上文所述，租值的理念是指收入有所轉變而某些供應行為不變。這是指某些可變的選擇，在收入的轉變中不存在，所以這部分收入可作為租值看。然而，說有某些選擇不存在，可不是說完全沒有其他選擇存在。事實上，其他選擇是永遠存在的。因此，從沒有選擇的不變角度看，收入是租值；從有選擇而可變的角度看，放棄了的收入是成本。

教授的例子

多舉一個例子吧。在香港大學工作時，到了六十退休之齡，我續約兩年再做下去，薪酬照舊。但六十二歲再續約時，校方有新例，凡逾退休之齡續約的教授，薪酬要減至高級講師的頂點水平。這樣，我的薪酬被減了大約百分之四十五。我續約一年，教授之職不變。從教授之職不變的角度看，我被減去的百分之四十五可以說是薪酬未減時的租值。

有趣的問題來了。減了百分之四十五的薪酬，我教授之職不變，那麼多年以來，香港的納稅人豈不是給了我太多的錢？從教授之職不變的角度看，是對的。但事實上，我見減了薪酬，就推卻了不少可以讓同事們做的行政工作，多把時間放於整理自己生平的論著。這是變，而多做行政工作時的較高薪酬，放棄整理論著的代價就是成本。

當然，減了教授薪酬，我可以工作散漫，脱課頻頻！（天曉得，我可以，但沒有那樣做。）這些也是變：較高薪時，不散漫是成本。收入變了，不容易想像工作在任何邊際上完全不變，雖然有時變得較多，有時變得很少，或微不足道。租值是指收入變了但從某角度看資源使用不變的收入。因為資源使用不變與選擇不變相同，沒有選擇就沒有成本，所以這種收入被稱為租值，是斯密的傳統了。然而，只要我們能真的考慮所有的選擇（包括生意轉讓），不是成本的租值不存在。

專利的例子

舉另一個例。假如香港政府送給我經營電視的專利權，沒有任何其他人可經營電視，而又假設電視節目及廣播時間皆不容有變。這樣，廣告收入下降我還會完全不變地經營電視。這些廣告收入是租值，但也可看為成本，因為我可以將電視台賣出去。賣出整盤生意也是一個選擇，而賣出之價是繼續經營的成本。

專利所賺到的、在生產要素成本以上的錢，因為不會被競爭者消滅，稱為專利或壟斷租值（monopoly rent）。弗里德曼稱之為非合約成本，也是高見。

專利租值的變化

一九六八年，施蒂格勒（G. J. Stigler）和我討論租值與成本時，他提出了如下的例子。太平洋有某荒島，只可用作飛機下降加油，沒有任何其他用途，其收入是租值。是成本嗎？當然也是。可以出售荒島姑且不論，不同跑道的選擇，不同汽油供應商的選擇，等等，皆有成本的意念。

説租值不是成本是錯的，但那是另一種成本。租值或準租值的用途，是讓我們能把可變或不變的邊際供應分開來處理。租值是漠視了某些資源使用的可變選擇的成本。記着，凡是價格或收入變動而某些行為或供應不變，這些收入是租值，但只能從行為不變的角度看。可以是微小或是龐大的不變，要看是為了解釋什麼。用得好，租值這個理念很好用。

在往後分析生產成本時，同學要注意我喜歡用租值作為一間公司或機構要爭取極大化的量度。一間公司有發明專利權，或獲政府授予某些壟斷權，或有值錢的商標，或是名牌寶號，又或是購置了不容易賣出去的機械設備，是不會在競爭下產品的市價下降了少許就關門倒閉的。本章的第二個附錄我節錄發表過的工會蠶食租值的分析。

至於“租值消散”這個非常重要的話題，以及這消散跟交易費用的關係，要到第八章才討論。

第四節：盈利是無主孤魂

西方經濟學所用的profit一詞，中譯為“利潤”，是不對的。我認為應該譯作“盈利”。利潤是回報，或是利息的回報。有些書本把利潤分為正常利潤（normal profit）與不正常利潤（abnormal profit），弄得更糊塗了。Profit譯作“盈利”遠為恰當，因為“盈”字代表着多了一點。

出於意外的收入

是的，profit不是工資，不是租值，不是專利或壟斷的收益，不是所有生產要素的成本，也不是投資應得的回報。減除這些所有的，但還有一點收入多了出來，怎麼可能呢？答案是，盈利是無端端地多了出來的收入。這是說，盈利是意外的收入。

在《利息理論》一章內，我分析了費雪的格言：利息不是收入的局部，而是收入的全部。工資是勞工身價現值的利息，租值是房地產的利息或準租值折現後的利息，商人的投資有利息的回報。費雪的格言因而可以補充：利息不是成本的局部，而是成本的全部。從這個補充的角度看，盈利是意外地高於利息成本的收入。

是的，在競爭無所不在的社會中，考慮到上一節提到的“租值”也是成本，經濟邏輯不容許有意料中的盈利。競爭可不是指一般課本說的、有多個出售同一物品的競爭者，而是指本書卷一《科學說需求》的第三章《缺乏與競爭》所說的競爭。是的，只要是多人的社會，競爭無所不在。壟斷權或專利權也是要競爭的。值錢之物，怎會沒有競爭呢？專利權帶來的收入，高於生產要素成本的差距，是租值，是另一種成本，我解釋過了。這樣，專利或壟斷是沒有盈利的。

一個人有獨到的生意眼光，其超凡的收入或財富是他的租值，或是他特別天分的回報。不是盈利。

一家企業因為管理得宜，賺錢比同行的企業優勝，這是管理人才的租值回報，而這些回報會反映在較高的管理薪酬、較高的分紅、較高的股息等，其總收入與總成本相等，沒有盈利。

一個行動不便的老婦，身無長物，沒有其他職業可幹，於是在路旁賣咖啡。因為不能找到其他職業，這老婦賣咖啡的機會成本比其他賣咖啡的人低。她賺取到的差距是另一種租值（稱為歸屬租值——imputed rent），不是盈利。

預期回報高於利息的原因

數之不盡的人，作投資或做生意，預期投資的回報率高於利息率。這些人所說的可能是衷心話，不是誇誇其談。他們預期有盈利嗎？我的答案是無從肯定。這個怪答案重要，應該解釋一下。

在有訊息費用的情況下（或可說有風險），沒有人可以肯定投資或做生意的回報率。一個人若真的可以肯定，百發百中，這個人很容易富可敵國。一個人無論怎樣客觀地估計一項投資的回報，他知道這投資可以血本無歸。尤其是做生意，預期只可以賺回利息就下注，虧損的機會高。風險或訊息費用的存在，投資預期的回報率一般會高於利率。一個人說的正數預期，可沒有減去負數預期的風險。悲觀的人存在，但一般而言，投資下注的喜歡從樂觀那方面看。另一方面，做生意的老手明白，要賺回利息不容易，而自己的勞力，總要有一點回報，所以就算是相當肯定的投資，加上自己的工資，其預期的回報率要高於利率。

從社會整體的角度看，市場的利率是由投資或做生意的回報率決定的。有人因為意外而發達，也有人因為意外而破產。整體而言，如果真實的回報率與利率有別，借錢投資或會增加，或會減少，從而使這二率相等。

寫經濟學課本因為要顧及銷量，說做生意不會有盈利（profit）不容易賣出去。會計師核數有損益表（profit and loss statement），但會計說的profit與經濟學說的是兩回事。一個本科生選修會計，又選修經濟，課本要怎樣說才對呢？

盈利沒有理論

意外的盈利叫作風落盈利（windfall profit）；意外的虧損叫作風落虧損（windfall loss）。重要的是在經濟學的範疇內，沒有非"風落"或非意外的盈利或虧損。如果容許非意外的盈利或虧損，其他的價值理念——利息、成本、租值等——就加不起來，使整個理論架構站不住。

我在前文提及，利息與收入永遠是流動的，是川流。資本與財富永遠是靜止的，是以利率折現後的現值。成本與租值可以是流動的，也可以折現而靜止。盈利呢？既非流動，也不靜止，盈利是無主孤魂。這是經濟學之見。意外的收入，來無影，去無蹤，不可以利率折現。讓我發明一句格言：盈利是不能折現的收入。

事前不知道會發生，事後也不知何日君再來的盈利，沒有理論可以解釋。記得做研究生之時，某科考試，教授出一試題："試述及分析盈利理論。"我只答了一句："經濟學沒有盈利理論。"那位教授是師級人物，我知道他要的答案就是這一句。是的，經濟學常說的個人爭取極大化（maximization），其爭取的價值量度可以是功用，可以是財富，是收入，或是租值，但不可以是盈利。“風落”無從預知，怎可以爭取呢？

街頭賣桔的例子

轉談一些例子吧。一九八二年回港任職後，年宵之夜我帶着十多個學生一起在街頭賣桔，賣過三次年宵，第一次是風落虧損的好例子。二百多盆桔子放在露天的街頭空地，大雨突然傾盆而下（新春時節這是少有的），不到半個小時桔子都掉到地上，全軍盡墨。這例子的重要啟示，是風落虧損不會影響我或其他人以後的賣桔意向。那是說，賣桔的行為是不會被改變的。過了一年再賣桔，我改選了不露天的場地嗎？沒有，因為租金比較貴。

假若賣桔的虧損不是因為傾盆大雨，而是因為屬門外漢，一無所知，入貨成本太高，或經營手法不當，等等，從經濟學看，這不是虧損，而是知識投資的“交學費”。如果賣桔虧損是因為這行業不是我有比較優勢的，作錯了選擇，那是訊息不足的問題，要從我個人的知識資本減除。要是我不服氣，有虧損還屢敗屢戰，堅持賣桔，那是我的負租值。

韓戰的例子

轉談一個風落盈利的實例。一九五〇年韓戰爆發，中國抗美援朝，香港的西藥需求激增，一下子香港的西藥商因為有存貨而發了達。當時我父親的商店在藥商眾多的永樂街，所以知道。這西藥價暴升帶來的意外收入屬風落，是盈利。

韓戰繼續，西藥有巨利可圖眾所周知，要加入這行業的其他商人不計其數。但加入可不容易，因為存在的西藥商人都持有代理權，可以維持一段時期的巨利。這巨利再不是風落盈利，而是租值，可以折現。

西藥商人因見有巨利（租值）可圖，大手輸入西藥，一手一手地加上去。後來一九五三年韓戰突然終止，存貨量太多，且藥物不能久藏，不少西藥商破產。這是風落虧損。

盈利與虧損都是“風落”的，皆意外也。然而，本書提到的虧損，不一定是意外的，而是跟一般課本說的。這樣下筆，因為不是意外的虧損有好幾種，而經濟學沒有方便的替代用詞。“盈利”是另一回事。不是意外的利潤，我們可稱為利息，或可稱為租值。本書用的“盈利”一詞，永遠是指意外的風落（windfall）。

結語

讓我在這裡創立一句大致上對的格言：成本的變動影響行為；行為的變動影響租值；盈利與行為無干。說大致上對，因為租值這回事，變化多，有時從一個角度看存在，從另一角度看不存在，同學們要活學活用了。

成本的概念比較容易掌握，因為是經濟學常用的局限。不是很容易；使用者要懂得怎樣把局限的轉變翻為價或者代價這些方面的轉變，然後帶到需求定律那邊去。租值概念的掌握比較困難，因為變化多，要看面對的是些什麼問題。有時租值是利益極大化需要爭取的；有時是決定適者生存不適者淘汰的因素；有時是成本或一種特別的上頭成本；有時我們要把租值消散作為交易費用看。變化複雜，但可以帶到多個不同的角度看問題，好用，我常常用。

盈利呢？是無主孤魂，接不上任何理論，什麼解釋行為的用途也沒有。

附錄一：從上河定律說成本概念

（這裡節錄二〇〇三年三月六日發表的《上河定律》，略作修改，示範成本概念的應用。）

去年十二月，上海博物館舉辦一個重要的國寶展覽，是集中北京故宮、遼寧博物館與上海博物館的珍藏。不遠千里而來的雅士雲集，加上上海本地人多，排隊進場要選人少時間，而進了場後要看北宋張擇端繪的《清明上河圖》，又要再排隊。這後隊不是很長的，但要排兩個多小時。

那時我和太太剛好到上海幾間大學講話，躬逢其會，要去看看。博物館的主事人要我們在非繁忙時間去，派一位很有禮貌的女秘書出來招呼，但說明觀看《清明上河圖》不能插隊，要排兩個多小時。這是說，作為貴賓，進場可以方便一點，但《上河圖》則是貴賓不貴的。

成本高觀看得久

《清明上河圖》是宋徽宗委任張擇端畫的，畫了三年，而展出的原作真迹的後一段不復存在。排隊兩個多小時我沒有排。不排隊不能近看，但可從離畫八呎左右看。《上河圖》的人物多而小，離畫八呎本已不善，再加上要穿過排隊的觀者之間的空隙看，更要再打折扣了。

我站着想，人龍只有百多個，為什麼要排兩個多小時呢？答案是輪到觀看的人看得很慢，比一般欣賞名畫的慢得多。這又是為什麼？靈機一動，想通了。因為排隊時間是一個價，也可說是一項成本。成本愈高——即是排隊的時間愈長——參觀的人是準備久看才作兩個多小時的排隊投資。這是說，排隊的人愈多，不僅等候的時間愈長，每個觀者輪到時所花的欣賞時間會增加。以圖表曲線分析，縱軸為等候時間，橫軸為排隊人數，其二者的相關曲線不是直線上升，而是向右弧上。

讓我再說一次。時間成本愈高，每個觀者的欣賞時間愈長。如果六十人排隊，觀者平均欣賞一分鐘，第六十個要等一個小時。但如果一百二十人排隊，觀者平均欣賞會超過一分鐘，第一百二十個要等超過兩小時。既然是從《清明上河圖》的人龍得到啟發而想出這個有趣的規律，而"上河"有逆水行舟之意（雖然清明上河不是這個意思），我稱之為"上河定律"。

上河定律與需求定律

有兩點還要澄清。其一是依照經濟學的理念，歷史成本不是成本。既然排隊排了兩個多小時，是歷史，覆水難收，再不是成本，不是代價，為什麼我說時間之價或成本高會多花時間欣賞呢？答案是觀者多花時間欣賞，其考慮不是已經排隊的兩個多小時，而是這次不多欣賞此後再欣賞的時間成本預期也會是高的，還要加再到博物館去的麻煩成本。

舉一個例。假若《清明上河圖》持久地展出，不用排隊，去觀看，我欣賞一分鐘。但如果我得到方便，可以不用排隊欣賞，但說明只此一次，之後我要排隊兩個小時才能看到。這樣，雖然不用排隊，我的欣賞時間會超過一分鐘。有關之價是可以選擇的代價。不用排隊，這次沒有時間之價，但真正的代價是這次不多欣賞，之後要排隊兩個小時，所以這次我要多欣賞了。

第二點要說的，是我曾經說，超級市場的繁忙時間人龍愈長，收錢的員工的動作會被迫而愈快。於是，因為人龍長，每件物品的"過機"時間會較快。這與"上河定律"是相反的。

但這裡是多了一個收錢的員工，他的動作因為人龍長而較快。與上河定律相同的，是如果一家超級市場沒有提供購買少量的快線，繁忙時間需要排長隊，購物者一般會選購買較多物品。這使一個購物者的平均過機時間較長。另一方面，買一包香煙的人通常不會選繁忙時間到超市購買。這也是需求定律的含意。

是的，吃自助餐，同樣的食品，每客收費五十與收費一百的食時與食量不同。收費五十，顧客會吃得較少和較快。收費一百，好些食客會因為價高而不光顧，但光顧的會吃得較多和較久。這也是上河定律。

附錄二：從蠶食理論説租值概念

（這裡節錄二〇〇八年十一月二十五日發表的《新勞動法與蠶食理論》，略作修改，示範租值概念的應用。）

二〇〇八年一月北京推出新《勞動合同法》，跟着此法為禍明確，為什麼網上還有讀者支持呢？利益分子或顏面問題不論，答案是有些人見到某些地方，或某些企業，最低工資及勞動法例是明顯地提升了就業工人的收入。這裡的重點是租值的存在。最低工資及勞動法例由政府推出，跟着加進了工會，一個有租值的工廠或企業可以被蠶食而使工人的收入增加。租值是資源使用不受價格變動影響的那部分的資產價值。一家工廠大手投資購買了機械，轉讓出去不值錢的那種投資，工資被迫增加也要繼續幹下去，其租值是被蠶食了。一間因為苦幹得法而打下名堂的企業，或有值錢的註冊商標，或一間工廠研究有獲，在發明及設計上拿得專利註冊，等等，皆有租值，不是什麼最低工資或新勞動法一推出就要關門的。他們有一段頗長的時日可以逆來順受，但一旦遇到市場大為不景，租值全失，專利名牌就變得麻煩了。這是二〇〇九年美國汽車行業的困境。龐大的租值被蠶食了數十年，幾殆盡矣，怎還可以經得起金融市場的風風雨雨呢？

蠶食租值要有工會協助

一般而言，蠶食企業的租值，是需要工會的協助才能成事，所以工會有工人的支持。工會操作的關鍵（先進之邦的工會，不是目前中國的），是阻礙工人自由參與競爭，因為工人自由競爭不容易蠶食企業的租值。

有幸有不幸，中國的最低工資與新勞動法是來得太早了。君不見，二〇〇八年紛紛關門大吉的工廠，清一色是接單工業，沒有什麼租值可言，用不着什麼工會對立老闆就失蹤了。這是不幸。幸者，是關門關得那麼快，而又是那麼多，其示範大有說服力，好叫有關部門知道容易中先進之邦的勞動法例之計。

可以阻礙工人自由競爭的工會今天在中國還沒有出現，可能因為大有租值的企業目前在中國不多。新勞動法無疑會鼓勵蠶食租值的工會出現，但要等到中國的發展更上一層樓，大有租值的企業無數，這類工會才會藉新勞動法的存在而林立起來。真的嗎？可能不會吧。聰明的老闆會意識到只要新勞動法存在，有租值蠶食力的工會早晚會出現，不敢向增加租值的投資下注。

這就是北京的朋友要重視的一個關鍵問題。要搞經濟轉型這些日子說得多了，而所謂轉型者，是要鼓勵增加租值的行業：研發科技、搞國際名牌，等等。有新勞動法的存在，企業租值上升，蠶食此值的工會隨時出現，豈非血本無歸乎？新勞動法來得那麼早，一則是悲，一則似喜也。我這個老人家是怎樣也笑不出來的。

美國的通用汽車曾經是地球上最成功的工業製造廠，產出的汽車量冠於天下，名牌不少，發明專利無數，其曾經累積的租值龐大。二〇〇八年金融危機出現，蠶食租值數十年的工會不讓步。二〇〇九年該廠的資產淨值下降至負值，由政府接管收場。

參考文獻

D. Ricardo, *On the Principles of Political Economy and Taxation*. John Murray, 1817.

A. Marshall, *Principles of Economics*. Macmillan, 1890.

F. H. Knight, *Risk, Uncertainty and Profit*. Houghton Mifflin Company, 1921.

J. Robinson, *The Economics of Imperfect Competition*. Macmillan, 1933.

R. H. Coase, "The Problem of Social Cost," *Journal of Law & Economics*, 1960.

M. Friedman, *Price Theory*. Chicago: Aldine Publishing Company, 1962.

A. A. Alchian, "Cost," *International Encyclopedia of the Social Sciences*, 1968.

J. M. Buchanan, *Cost and Choice*. Markham Publishing Co., 1969.

都是新古典經濟學的傳統惹來的禍。這個以馬歇爾為首的偉大傳統有一個習慣，喜歡把不同的因素或變量分割開來，讓某些變某些不變，用以分析每項轉變帶來的效果。作為理解一個分析的步驟，這習慣有其可取之處。問題是理論的最終目的是解釋世事，把變量分割開來理解可以，但再組合時什麼可變什麼不可變就要以解釋能力為依歸了。懂得分開來，但忘記了更重要的為解釋而組合，是數樹木而不看森林。

第六章：生產的成本

生產成本又是經濟學的一個難題。這可不是因為問題本身湛深，而是經濟學者對真實世界的生產知得不多。世界複雜，不同的行業有不同的生產程序，有不同的生產方法。經濟學博士連一個行業也不需要作研究，這門學問怎可以把多個行業的生產成本規律或其成本曲線一般化呢？一般化是有廣泛解釋力的理論必需的。

雖然以斯密為首的古典經濟學在歐洲興起時，英國的工業革命已開始了一段日子，但古典經濟學者對生產的分析，主要是農業。當時，他們的興趣是勞力與土地的使用及收入分配，皆以農業為主。到了二十世紀，生產成本曲線的分析還是集中在勞力與土地的層次上，轉到工業生產就把土地改為資本。這種墨守成規的分析不一定錯，問題是工、商業生產比農業生產複雜得多。把簡單的分析搬上複雜的層面，不是不可以，但在細節上遇到好些問題，使我們不容易理解複雜生產的成本。

複雜的世事是要以簡單的理論解釋的。簡單的農業生產成本理論，解釋不了複雜的工業生產成本，可不是因為簡單的過於簡單，而是因為簡單的沒有經過複雜的蹂躪，以致簡單的或忽略了重點，或用錯了假設，或作了錯誤的判斷。我曾說如果要懂得運用簡單的理論，我們要先向深處鑽，然後深而淺、淺而深地來來回回幾次，以至淺的理論有一個深的層面，淺的就變得有用場了。理論要用淺的，愈淺愈好，但要是我們不從深的簡化而變淺，除非你是絕頂天才，淺的會因為內涵不足而沒有大用場。同一個樣子的成本曲線，其內容要怎樣闡釋對解釋行為有決定性。

且讓我從淺說起，進深，然後復淺地來分析一下生產成本。

第一節：邊際產量下降定律

邊際產量下降定律（the law of diminishing marginal productivity）又稱回報率下降定律（the law of diminishing returns）。這大名鼎鼎的定律萬無一失，是一個"實證定律"（empirical law）。"實證"是指定律之內的所有變量（variables）在原則上是可以觀察到的，是事實，非抽象之物也。在卷一我們數次提及，需求定律中的需求量是意圖之物，是抽象的，真實世界不存在。但邊際產量下降定律卻沒有這種困擾。邊際產量（marginal product）雖然是事實，原則上可以觀察到，但一般來說只能在一個可以調控的實驗室才可以量度，現實生活中是不容易或不能量度的。有這樣的困難，運用邊際產出理論（marginal productivity theory）又要講功夫了。

小孩子的學問

邊際產量下降定律是說，如果有兩種生產要素（factors of production），土地與勞力，一種要素增加而另一種固定不變，總產量會增加，但這增加會愈來愈小（邊際產量下降），然後總產量達一頂點，再其後總產量會因為只有一種生產要素繼續增加而下降。

四歲時我在香港讀小學一年級。老師問：如果一個人可以在十天之內建造一所小房子，那麼兩個人建造需要多少天？我當時知道老師要的答案是五天，但怎樣也不肯答，問來問去我也說不知道。老師認為我太蠢，不可教，要留級。後來我留級的次數成為香港西灣河的典故。

一個人十天，兩個人五天，十個人一天，一萬個人需要多少天？讓我告訴你吧。一萬個人擠在一塊小地上建小房子，一億年也建不出來。這就是邊際產量下降定律。母親在生時常說："人多手腳亂！"這是中國人的傳統智慧，說的是邊際產量下降定律，但這定律可不是我不識字的母親發明的。

要證實這定律的必然性，我們不妨反問：假若邊際產量下降定律是不對的話，世界會有些什麼現象呢？答案是：如果這定律不對，我們可用一平方公尺的土地，不斷地增加勞力、肥料、水分等，而種出可以供應全世界的米糧。這類現象顯然從來沒有出現過，所以邊際產量下降定律從來沒有被推翻。

記着，邊際產量下降是基於某些生產要素之量固定不變，或不是所有生產要素之量皆自由變動。在這個大前提下，這定律有幾方面的變化是重要的。

定律可從比率看

（一）以甲、乙兩種生產要素為例，如果甲之量是二，乙之量是一，其比率是二比一。甲增至四，乙增至二，其比率還是二比一，定律無效。甲增至四，乙仍是一，四比一，定律有效，因為乙之量不變。甲增至八，乙增至二，比率也是四比一，但乙之量是增加了，定律如何？

答案有兩個。其一是吹毛求疵的。那就是在某種生產函數（production function，我很少用）下，在某一段產量中，甲、乙的比率增加不一定會導致甲的邊際產量下降。其二是不管生產函數怎樣，只要這比率不斷增加，甲的邊際產量遲早會下降。這樣，一般而言，邊際產量下降定律不限於一種要素之量固定不變，而是適用於不同生產要素的比率轉變。

（二）如果生產要素不限於甲與乙，而是有更多種的，那麼一種要素不變而其他的幾種皆變（增加），邊際產量下降定律是否同樣有效呢？答案也是兩個。其一也是吹毛求疵，某種生產函數下，在某一段產量中，這定律可能無效。其二是只要不變的繼續不變，其他的幾種要素繼續增加，到了某一點邊際產量必定下降。

在稍後及第三節較為詳盡地分析生產成本時可見，上述兩點重要。邊際產量下降定律不限於兩種生產要素其中一種固定不變而另一種增加，而是還有上述的兩個變化：一、增加生產，要素的比率有所變動，邊際產量下降遲早會出現。二、只要有一種要素之量不變，其他的要素不管有多少種，它們的增加遲早會帶來邊際產量下降。

"團性" 不對，變法可解

（三）定律是說兩種生產要素之一不變而另一種增加時，總產量（total product）曲線的上升是弧形似山：邊際產量的上升率下降，總產量達一頂點，其後曲線下落。這樣，平均產量（average product）曲線與邊際產量（marginal product）曲線皆向右下傾斜。然而，自奈特（F. H. Knight, 1921）之後，經濟學者喜歡把總產量曲線畫成先弧上然後再弧落——平均與邊際產量曲線皆先升而後降。

定律是指邊際產量曲線下降的那部分，開頭上升那部分是違反了定律的。怎麼可能呢？這是個難題。奈特的解釋是生產要素有“團性”(lumpiness或indivisibility)。這是說，一個勞工就是一個，不可以把他斬開來解體生產。這也是說，因為要有一個起碼的生產要素單位，“團性”存在，所以邊際產量曲線是先升而後降的。這個解釋很牽強，因為一個勞工或任何生產要素，不需要用刀解體，而是可工作一個小時、半個小時、一分鐘或甚至幾秒鐘。這樣，“團性”是不存在的。

我不反對邊際產量曲線有上升的那部分，而是反對“團性”的解釋。我認為困難所在，是傳統的邊際產量分析假設生產的方法不變。一般經濟學者誤解了邊際產量曲線，誤解了成本曲線，也誤解了供應曲線，以為這些曲線像需求曲線那樣，需要假設某些因素不變。不對。以產出為核心的供應曲線與需求曲線不同的一個重點，是前者的好些其他因素的轉變大可自由。這是後話。

要是我們讓生產的方法自由轉變，開頭一段的邊際產量曲線上升就沒有問題了。一個人拿着一卷軟尺量度土地，其產量是量度了的土地面積。一個人有一個人的方法。多加了一個人，軟尺還是一卷，量度的方法一樣，兩個人交替用同一軟尺，產量的邊際上升必然下降。但如果兩個人合作，各執軟尺的一端來量度，其量度得的土地面積（產量）會比一個人的產量乘以二為高，但生產的方法是改變了。若繼續多加人手，軟尺還是一卷，無論生產方法怎樣變，邊際產量是必定會下降的。

三部曲有重要驗證用場

（四）奈特以“團性”為理由來解釋邊際產量曲線開頭上升，目的是要支持他認為是重要的生產“三部曲”。甲、乙兩種生產要素，在那最常用的線性倍增(linearly homogeneous）的生產函數下，若甲的平均產量達到頂點，乙的邊際產量一定是零；倒轉過來，乙的平均產量達頂點，甲的邊際產量是零。這個有趣的規律其實是 P. Wicksteed 一八九四年發明的，後人稱之為 the law of variable proportions。

奈特以圖表示範的三部曲如下：第一部，甲要素的平均產量上升，乙要素的邊際產量是負值；第三部（沒有印錯，不是第二部），乙要素的平均產量上升，甲要素的邊際產量是負值。重要的是中間的第二部：甲與乙的平均產量皆下降，二者的邊際產量都一定是正數。這樣，生產一定是在一與三之間的第二部從事，因為在第二部之外，必有一種要素的生產貢獻是負值，不用勝於用也。

以上的分析有點技術性，讀書考試的學生要理解，但對解釋行為來說，重要的可不是那三部曲，而是其中的一個含意：不管生產函數怎樣，若一種生產要素增加時其平均產量下降，另一種要素的邊際產量必定上升。這含意重要。

想想吧。在局限下爭取極大化永遠是以邊際之量來推理的。邊際產量雖然是事實，但在真實世界不容易觀察到。有了 Wicksteed 的發明，我們可從甲要素的可以觀察到的平均產量轉變來推斷乙要素的看不到的邊際產量轉變。我做學生時寫《佃農理論》，用這方法，加上變化，表演神功，把老師嚇了一跳（見該作第八章）！當時我有的是臺灣多種農產品的幾年數字，很詳盡，但都是土地的平均產量。理論推斷了的是不同生產要素的邊際產量轉變，手上有的資料只是一種要素（土地）的不同產品的平均產量轉變，但我能以這些“平均”資料證實理論推斷了的所有邊際產量轉變。

技術歸技術，含意歸含意。解釋世事要把含意拿得準，懂得簡化，懂得一般化，也要懂得加上變化。只管技術而不管含意內容，是一種遊戲，與科學驗證是扯不上關係的。

要素需求曲線可以不用

（五）向右下傾斜的某生產要素的邊際產量曲線，若乘之以產品之價，可看為該生產要素的需求曲線（factor demand curve），當然也是向右下傾斜的。你若要多玩遊戲，生產要素的需求曲線可以有很多種，變化不同，複雜之極，但還是向右下傾斜的。這些複雜變化對解釋行為沒有幫助，不談也罷。

這裡要提的，是物品的需求曲線向右下傾斜，生產要素的需求曲線也是向右下傾斜，既然二者皆向右下傾斜，要再簡化我們大可取消後者。論需求，數十年來我只用一條需求曲線，堅持向右下傾斜，不管是消費物品需求還是生產要素需求。"一粥一飯，當思來處不易。" 你說粥與飯是消費物品還是生產要素？二者皆是也。

以邊際產量下降定律為基礎的邊際產量理論，還有其他重點要說的，但我決定推到卷四分析不同的合約——如分成合約、件工合約——時才討論。本章要分析的是生產成本，這一節先給讀者在生產的規律上打個基礎。

無可置疑，邊際產量下降定律的成立，是源於資源或生產要素的使用出現了擠迫。沒有擠迫邊際產量不會下降。這是清楚的。問題是經濟學者要從這定律約束着的曲線翻過來而畫出邊際成本曲線，從而決定產品出售的市場價格。這就帶來大問題，因為很多時產出的活動沒有擠迫的情況。價格從何而定呢？我要到卷三第六章與卷四第七章才討論。這裡先說傳統的分析。

第二節：傳統的成本曲線

傳統的成本曲線有短期（short run）與長期（long run）之分。短期是指一種生產要素之量可變而其他要素之量不變；長期是所有生產要素之量皆變。那是說，短期的成本曲線受到邊際產量下降定律的約束，而長期的則沒有這個約束。

是馬歇爾（Marshall）的傳統發展出來的。可能初時經濟學者以為只調整一種生產要素時間較短，而調整所有要素則需要較長的時間。這個以時間分短、長的概念今天已遭淘汰，不是因為調整不需要時間，而是我們無從肯定調整一種要素所需的時間一定比調整多種要素為短。再者，傳統的成本曲線圖表，其橫軸代表着的產量一般是沒有時間的一刹那（one instant of time），而就算橫軸代表一段時期的產量，傳統的圖表永遠是把短期與長期的成本曲線畫在同一圖表中。因此，時間是相同的。

不變是不讓其變

短、長與時間無關，今天的短、長之分是用以示範一種生產要素增加與多種要素增加的不同效果。不變是經濟學者不讓其變，不是不能變。這一點，有些書本說不清楚，引起混淆。更重要的，是有解釋力的成本曲線的闡釋，要與真實世界的情況大致吻合，因為成本是局限。

在局限下爭取極大化（或最高利益）的定理（postulate）下，任何生產者的任何產量，其成本一定是生產者所能控制得到的最低成本。這是套套邏輯的定義，沒有可以更改的空間。在真實世界中，一個生產者可能為了節省成本，在某些情況下決定某些生產要素之量不變。但這是生產者的選擇，不是不能變，也不是經濟學者不讓之變。對解釋生產行為有用場的成本曲線，一定要從生產者的選擇入手。經濟學者是沒有資格教生產的人怎樣減低成本的。傳統的成本分析不是完全不知道這個淺顯的哲理，但經濟學者歷來都有些自以為是，在生產成本的分析上沒有集中在選擇那個角度看。

回頭說那傳統的短期成本曲線，其形狀是由邊際產量下降定律決定的。事實上，這些成本曲線與上一節所說的產量曲線完全一樣，只是將"要素"之軸的名稱改為成本，轉九十度，然後對着鏡子看。即是說，上節提及的產量曲線，是以縱軸為產量，橫軸為生產要素量。現在把橫軸之量乘以一個要素之價，稱為成本。把這成本橫軸轉九十度成為縱軸，然後對着鏡子看，縱軸是成本，橫軸是產量。

短期碗形是定律使然

成本曲線有三條：總成本、平均成本、邊際成本。知一可以知三，總成本曲線可以不用。平均成本是總成本除以總產量，邊際成本是總成本的變量除以總產量的變量，二者的量度單位相同，都在縱軸，所以平均成本與邊際成本這兩條曲線可以畫在一起。這是經濟學入門的課程了。

如果我們接受奈特的"三部曲"，讓邊際產量先升而後降，那麼邊際成本曲線是先降而後升，而上升的那部分就是邊際產量下降定律。先降而後升，是碗形（U-shape），而有關的平均成本曲線也跟着是碗形的。平均下降，邊際一定在平均之下；平均上升，邊際一定在平均之上。這樣，在下面上升的邊際成本曲線會穿過平均成本曲線的碗底。"短期"的邊際成本上升是因為邊際產量下降定律。

經濟學課本把多個生產者的邊際成本曲線向上升的某部分向右橫加，作為該產品的市場供應曲線。說是"某部分"，因為課本拿不準上升的邊際成本曲線要從哪一點開始算才是個別生產者的供應。這不重要，因為只是學生的技術習作，與解釋行為扯不上關係。真實世界不會無緣無故地只讓一種生產要素轉變的。這可不是說邊際產量下降定律對生產成本沒有重要的關係，而是書本把這定律誤用了。

長期要碗形是大麻煩

傳統的"長期"成本曲線——讓所有生產要素變動的——不受邊際產量下降的約束。技術上，長期與短期的曲線關係是好玩意，但不重要，這裡不花筆墨了。有趣的是一九三一年，芝加哥大學的名教授J. Viner發明長、短成本曲線時，請一個名叫Y. K. Wong的中國學生畫圖表。該學生說教授想錯了，技術上畫不出來。教授堅持己見，學生於是照畫，成了大錯。這典故在經濟學行內很有名。後來該名滿天下的文章重印，老教授故意不改錯，以註腳說明當年應該聽那位中國學生的話。

內容上，長期的平均成本曲線比短期的有更大的麻煩。問題是這樣的。要有多個生產同樣物品的人或機構在市場競爭，長期的平均成本曲線一定是要碗形的。若一個生產者的平均成本曲線不斷下降，產量愈高售價可以愈低，其他的競爭者不敢問津，壟斷是必然的效果。如果長期的平均成本曲線是平的，生產者可以是一個或是數之不盡，無從決定。這是說，要有生產競爭，而又要決定競爭者之數，長期平均成本曲線必定要是碗形的。

這碗形是說，讓所有生產要素變動，平均成本先下降而後上升。怎麼可能呢？一般的觀察，我們知道大量生產（mass production）會導致平均成本下降。但怎樣解釋碗形呢？好些書本走奈特的路，說長期平均成本下降是因為生產要素有"團性”(lumpiness或indivisibility)。我在前文提及，以團性解釋短期平均成本下降很牽強。以之解釋長期平均成本下降不容易，解釋其上升更困難。老師赫舒拉發（J. Hirshleifer）當年在課堂上，為了應付我在這“上升”的難題上節節進逼而發明了如下的一個例子：一隻小草蜢跳一次高二呎，跳三次加起來是六呎，但若草蜢三倍大，跳一次其高度可不及六呎！

困難是這樣的。大量生產如果可以減低平均成本，而長期的平均成本曲線是讓所有生產要素變動，沒有邊際產量下降定律的約束，那麼不斷地增加生產，平均成本充其量是平的，不會上升。這樣，不會有多個競爭產出者。傳統的挽救方法，說若產量不斷上升，企業管理能力（entrepreneurial capacity）總會出現問題，所以平均成本就上升了。這個解釋不可取，因為管理也是一種生產要素，既然長期是讓所有要素增加，增加管理有何不可？

傳統惹來的禍

我認為解釋長期平均成本曲線是碗形的整個困難，是經濟學者作繭自縛，堅持着一些假設，而在這些假設下，碗形的長期平均成本曲線不能成立。他們或明或暗地用上四個假設。（一）生產的方法或技術不變；（二）生產要素的價格不變；（三）生產要素是以同效率的單位（efficiency unit）來量度（生產效率一半，算半個單位）；（四）增加任何要素沒有任何困難（交易費用是零）。

都是新古典經濟學（neoclassical economics）的傳統惹來的禍。這個以馬歇爾為首的偉大傳統有一個習慣，喜歡把不同的因素或變量分割開來，讓某些變某些不變，用以分析每項轉變帶來的效果。作為理解一個分析的步驟，這習慣有其可取之處。問題是理論的最終目的是解釋世事，把變量分割開來理解可以，但再組合時什麼可變什麼不可變就要以解釋能力為依歸了。懂得分開來，但忘記了更重要的為解釋而組合，是數樹木而不看森林。

我們知道如果容許多個競爭者生產同樣物品，那所謂“長期”平均成本曲線是要呈碗形的。但在上文提及的四個假設下，該曲線會是平線一條。以什麼“團性”、企業管理困難等來把曲線“碗”起來，不僅牽強，也不容易明白，更談不上以事實驗證了。書本上的含意，是上述的四個假設若取消任何一個，另一條平均成本曲線就會出現。這是對的。但我們要的只是一條，由生產者自己選擇的那一條。

這裡我必須帶讀者回到本書卷一的第五章所分析的需求定律。該定律是指需求曲線向右下傾斜。其實需求曲線可以有很多條，向右下還是向右上要看不同的變或不變因素的假設。但我們要的是一個有解釋力的定律，其約束力愈強愈好。該曲線向右下傾斜還不夠，我們要儘量減少不變的因素。只要需求曲線向右下傾斜，可變的因素永遠是多勝少。但有些因素不能變：我們不能容許連天大雨對雨傘需求作為該定律的一個變量，因為這變量會明顯地推翻該定律。連天大雨，就畫另一條雨傘需求曲線吧。

成本曲線可沒有這種規限。我們有的只是邊際產量下降定律。這定律容易接受。問題是一個產出者的“長期”平均成本曲線，在真實世界可以在市場需求的範圍內不斷下降，帶來壟斷。換言之，容許所有生產要素變動，一個產出者產量上升其平均成本不斷下降會帶來“自然壟斷”（natural monopoly）。然而，在真實世界中我們不容易找到這種壟斷的實例。另一方面，競爭產出需要有碗形的平均成本曲線。這後者的推出是傳統的大麻煩。

第三節：阿爾欽的貢獻

老師阿爾欽（A. A. Alchian）發表過幾篇舉世知名的文章，其中最重要的一篇——Costs and Outputs（成本與產出，1959）——卻少見經傳。有三個原因。其一是該文不是發表在正規的學報，而是在一本向 B. F. Haley 致敬而出版的不同作者的文章結集，發行量不多。其二是阿師的分析相當複雜，不容易一般化。其三，最重要的，是該文過於創新，與傳統的生產成本分析格格不入。

這裡我要把阿師的思維儘量簡化，作點補充，然後修改傳統。我的結論是，碗形的平均成本曲線可以保留，但在闡釋上傳統之見是沒有什麼值得保留的。

阿爾欽的分析有三個基礎：

基礎一。生產成本沒有長期與短期之分，所有生產要素都可以選擇調整。不用傳統的"一刹那"，有時間性，而時間對成本的決定十分重要。有時間，不分長期短期，但要看有關的時間程序（the relevant run）。這個基礎我完全同意。

基礎二。成本永遠向前看，而向前看是一個生產計劃（output program）。生產計劃有三個層面。一、未生產前的準備時間；二、預期的總產量（volume of output）；三、預期的快慢生產率（rate of output）。

基礎二我大致同意，但要作兩點補充。其一是阿師考慮的生產計劃是未投資產出之前的考慮。投資產出開始了，世事變幻無常，再向前看，成本的考慮往往要用上租值的理念。這個重要的變化我會在下一節分析。其二是生產計劃，在時間上，往往是不知何日才終止的。你開一家餐館，不是打算兩三年就關閉。

基礎三。有了預期的生產計劃，所有成本都以利率折現的現值算。這點可取，但不容易處理。有了一個清楚地界定了的生產計劃，確定了，現值成本不難算出來。但若開始生產後前景有變，加上有"上頭"成本（overhead costs），就會有多方面的考慮，不容易以一個清楚的生產計劃為憑。

事實上，如果我們堅持上述的第二及第三個基礎，產品的平均成本只得一點，畫不出一條曲線來。從解釋生產行為的角度看，一點也已足夠。然而，沒有成本曲線，就沒有供應曲線，對市場的供求關係及變化就不容易較為全面地看。阿師的分析在行內不能一般地被接受，是創新的代價。我會以另一位老師——赫舒拉發（J. Hirshleifer）——的補充，加上自己的，用阿師的思維畫出成本曲線，比傳統的有理得多。

量增平均成本下降

在上述的三個基礎上，阿爾欽提出九個生產成本的建議（propositions），太多太複雜了。可幸的是，其中七個建議不重要。重要的有兩個，只談這兩個建議吧。

建議一。生產率（rate of output，每段時間的產量）不變，增加總產量（volume of output），平均成本必定下降。這建議容易接受，有四個原因。

一、阿師提出的，總產量愈大，可選用的成本較低的生產方法愈多。有不同方法的選擇，生產的方法會因為總產量之變而變。方法成本下降，平均成本就下降了。

二、熟能生巧。這觀點可能始於斯密的《國富論》

(1776)。量大容許增加分工專業，也容許生產的人有較多的練習機會。我調查過香港與內地的件工生產運作，絕對同意熟能生巧這個觀點。凡是訂單量愈大的，分工專業（每工人所做的不同部分）有分得比較多的傾向（其實這也算是改變了生產方法），而專於一種新產品的某部分，開始時不習慣，但幾天後生產的速度會因為手熟而增加。

三、這是我補充的。總產量愈大，平均產量的交易費用愈低。例如，以每天算，長租的合約的交易費用不僅可以攤分開來而下降，而租金本身也因為交易費用的下降而減少。聘請員工也類似：短暫性質的工作不容易聘得效率好的員工，就是聘得到其所須付的工資也會比較高。

四、這也是我補充的。以生產的訂單算，生產有準備成本與試產成本，而量大攤分，平均成本會下降。第七章會以出版行業示範。

以上四點，解釋總產量上升（生產率不變）產品平均成本下降，是與傳統的成本曲線分析截然不同的。傳統假設生產方法不變（有變則要畫另一曲線），漠視了熟能生巧，不管交易費用的存在，也不管準備成本與試產成本。

趕急平均成本提升

建議二。總產量不變，生產率增加（加速生產，但總產量不變），平均成本必定上升。說"必定"顯然有點問題，因為我們不難發現在某些情況下，生產率上升，在初段平均成本可能下降。這個小節阿爾欽後來是同意修改的。不重要，重要的是總產量不變，增加生產率到了某一點平均成本是必定會上升的。

英諺云：Haste makes waste（趕急造成浪費）。阿師的觀點是：趕急不會造成浪費，但會增加成本（Haste makes a higher cost）。這觀點很好，很好。有錢萬事通。工可以趕，可以趕得很快，但產品的平均成本會上升，甚至急升。這個生產率升（總產量不變）而平均成本升的建議，也有四個原因。

一、阿師的分析含意着的，是加速生產率，生產要素不容易一起調整，或不容易保持同一的比率，所以邊際產量下降定律就會發揮其效能，使邊際與平均成本上升。我們日常生活可見，短暫的生產率急升，生產的企業或商店是不會調整所有生產要素的。例如在農曆新年的前幾天，理髮店顧客急升，酒家客似雲來，但這些店子只增加臨時員工，其他的生產要素大致保持不變。

二、阿師沒有説，但我們可以把他的增加總產量會容許選用成本較低的生產方法倒轉過來：增加生產率趕工，可能會迫使生產者採用成本較高的方法。

三、又要再提我的交易費用了。阿爾欽認為若要趕工（提升生產率），聘請職工（或增加其他生產要素）時其價（或工資）會上升。沒有錯，但這是交易費用上升而引起的。市場有資訊費用，有議定合約的費用等。因為這些（交易）費用的存在，作了“錯誤”或成本較高的選擇，在趕工的情況下是比不趕時遠為容易發生的。

四、要趕工，上文所説的準備成本與試產成本可能要重複。這一點我也會在第七章示範。

以增加生產率（總產量不變）來解釋產品平均成本上升（近於我們中國人所説的“手忙腳亂”），與傳統的長期成本上升的解釋相去甚遠。嚴格地説，傳統是什麼解釋也沒有的。

赫舒拉發的貢獻

老師赫舒拉發同意阿師上述的兩個建議，但把阿師的生產計劃更改一下，畫成了一條碗形的平均成本曲線。赫師認為一般的、大多數的企業生產，沒有預期的終止日期。如果生產是無限期的，那麼生產率上升，總產量會同步上升。總產量上升（生產率不變），平均成本會下降；生產率上升（總產量不變），平均成本會上升。以縱軸代表平均成本，橫軸代表生產率，因為生產是無限期的，橫軸的生產率上升時其含意着的總產量也一起上升。開始時加量的平均成本下降效應會比加率的平均成本上升效應強，所以平均成本下降。繼續增加生產率（量也齊升），到了某一點加率的效應會比加量的效應強，所以平均成本就上升了。這樣，平均成本曲線是碗形的。橫軸的生產率是有時間的（例如每天產多少），不是"一剎那"。

不分長、短期，不約束生產方法，不固定生產要素之價，不界定要素的效率單位，引進熟能生巧，面對交易費用，加進準備成本與試產成本，讓量與率齊升——產品的平均成本曲線很容易是碗形的。邊際成本曲線自下而上，穿過碗底，而多個生產者的邊際成本曲線向右橫加起來，就是市場的供應曲線了。要把市場需求曲線放進同一圖表，其橫軸要用同樣的有時間內涵的需求率。

第四節：上頭成本與租值攤分

說過了，傳統的生產分析着重於農業。然而，到了十九世紀後期，馬歇爾開始重視工業。當時的一般看法，是增加生產時，農業的平均成本偏於上升，工業的偏於下降——economies of scale 是也。其中最重要的一點，是工業生產加上了"上頭成本"(overhead costs，馬歇爾稱之為 supplementary costs)。跟着在這題材上耕耘的有克拉克(J. M. Clark, 1923)、科斯(R. H. Coase, 1938)等人。這些名家的分析既不完善，也不到家。是非常可惜的發展，因為今天再沒有誰注意的上頭成本，其實是十分重要的概念。這裡我要把這概念從頭闡釋，把它放到重要的位置上。

字典把overhead costs譯作"經常性支出"，不對，無以名之，直譯為"上頭成本"最恰當。傳統上，上頭成本沒有一個明確的定義，而有時與非"上頭"的"直接成本"(direct costs 或 prime costs)起了混淆，二者的劃分不清楚。

要理解上頭成本的性質，我們不妨回到上一節的阿爾欽對生產成本的分析。很明顯，阿師的分析是以工業為主，但完全沒有上頭成本。不可能有，因為阿師是以一個預期的生產計劃來論成本。還沒有下任何生產投資的注，預期的成本必定是"直接"的。直接成本是指那些不生產就不需要支付的費用。

上頭成本是成本嗎？

上頭成本必定要在作了生產投資，開了檔，才可以存在。這些成本是指開始經營後，有些費用不生產也要支付。例如你買了廠房(利息要算)，或租了場地(不能退約，租金要付)，購置了工具(有利息)，或聘請了經理(有合約的約束，工資要發)。這些費用通常是不管有沒有生意、有沒有生產也要支付的。只要你繼續經營，不生產也要支付的費用，是上頭成本。下文我將會解釋，這類費用不是傳統說的成本。上頭成本要從"租值"或"準租值"(quasi-rent)的角度看。

上頭成本與直接成本之間通常有一片灰色地帶。以一間酒家而論，租金、經理等費用是"上頭"，食料、煤氣等是"直接”，但侍應、廚師等工資，可以在某程度上以生意的多少來調整，屬灰色地帶。這是吹毛求疵的問題，不重要。

上頭成本不能回頭看

重要的是上述的上頭成本不一定是成本。有兩個原因。其一是不管你投資生產用了多少錢，一旦下了注，付出了的成為歷史，而歷史成本不是成本。購進了的資產，成本是資產轉賣出去的所值，或將整盤生意出售所得的一部分。這樣的成本可能比你下注的較高，或可能較低，甚或近於零。其二也類似，那就是在組合生產要素時，你可能簽了好些合約，作了承諾，不能反悔。不能更改的支出，因為沒有選擇而變為不是成本。履行合約的後果可能賺大錢，也可能虧大本，但簽了不能反悔的合約，其成本是把該合約轉讓之價。

向前看無從攤分

傳統上，上頭成本還有另一個定義。那是指一家生產企業若出產幾種或多種產品時，某些成本（上頭成本）不能在不同的產品上攤分。例如你租了場地，有六種產品，每種產品的租金是多少呢？沒有經濟原則把總租金除以六，也沒有經濟原則按各產品之價攤分。如果場地的租約是按每種產品之價的一個分成率為租金，那則作別論。然而，簽了固定租金的合約，沒有生產時租金也要付，攤分就更不可能了。

傳統上，經濟學者認為，不攤分上頭成本不打緊，因為我們知道生產時的直接邊際成本，就可以解釋行為了。對某些行為來說，這觀點是對的，但不能攤分上頭成本，會帶來另一些問題。

傳統之見困難重重

以不能攤分的成本來界定上頭成本，有三個困難。其一是非上頭的直接成本，在同一生產程序中可能出產兩種或更多的產品。這樣，每種產品的平均成本是不可能算出來的（邊際成本可以）。不能攤分的成本不限於上頭成本。

其二是若只生產一種產品，不用攤分，上頭成本還會存在——不生產還要支付的費用還會存在。這是説，向前看，不用攤分還要支付，但成本要從合約轉讓或租值的角度看。

最大的問題是第三點。任何商人作任何投資之前，必然考慮到產品出售之價可以蓋過其"成本"。作了投資，開了檔，除了那些不生產可以不付的直接費用外，已成歷史的投資再不是成本，上頭成本就只能從資產轉讓的角度來衡量。這些轉讓之價可高可低，而其升降若不影響企業繼續經營，上頭成本是一個租值。

問題是，若一家企業的所有產品都只算直接成本，那麼歷史投資就血本無歸，企業本身的市值會下降至零。上頭成本的租值也要加上直接成本來算出產品之價。然而，如果上頭成本不能按不同的產品攤分，產品之價又怎可以算出來呢？

上頭成本是由市場釐定的

經濟學者把整個問題看錯了！先有一個上頭成本，有原則地將之攤分在不同的產品上當然不可能。但上頭成本是一項租值或準租值，只要企業不關閉，生產或不生產都存在。我們於是要把整個問題倒轉來看：不是先有租值然後將之攤分，而是把每種產品所能賺取到的、高於直接成本的那部分加起來而成租值。企業的市值，是預期的川流租值以利率折為現值，減除那些在合約上不生產也要承擔的負債現值。這就是企業的資產淨值（equity）了。

上頭成本是租值。不是先有上頭成本而後攤分，而是倒轉過來，從每種產品可以賺取到的直接成本以上的盈餘加起來而求得的。作了投資，開了檔，每種產品之價是指定了產量後，經營者可收盡收，但要受到市場競爭的局限約束，而這約束決定直接成本以上的盈餘。你去訂貨，議價時工廠的老闆對你說要把廠房的（歷史）成本的一部分加進價內，是說謊話。他是可收則收，愈高愈好，多多益善，但他就是不敢明顯地超越同行之價。

以上是說，上頭成本是先讓市場釐定每種產品之價，減除有關的直接成本，然後加起來的租值。換言之，上頭成本是先由市場在不同產品上攤分然後組合的租值。因為意圖參與競爭的人，要入局，也需要作類同的投資，市場是維護着已經入局的投資者的租值。換言之，上頭成本是由市場釐定，由市場維護，由市場攤分。

有好幾個變化，使每張訂單的租值釐定方法不同。下一章我會以出版行業作實際示範，這裡只大略羅列一些供讀者參考。

未下注與下注後的看法

（一）未投資生產前沒有上頭成本，所有成本都是直接的。廠房、場地、工具、經理之類的初步大投資，若只有一種產品，攤分於預期的產量，會有產量增加平均成本下降的效果。投資與否的決策，是按預期產量的平均成本與預期的市價相比。要是有幾種產品，不同產品的市價可作為未生產前攤分投資的指引。

投資生產後，投資成了歷史，非成本也。上頭成本會出現，但那是前文所說的不同產品的直接成本以上的盈餘加起來的租值。這上頭租值是在競爭下按訂單算的，以產量而定，不一定有產量愈大平均成本愈低的效果。如果投資生產前的預期與事後的一致，指定了量，算進租值其平均成本會前、後相同，但事前與事後的平均成本曲線是不同的，因為歷史成本不是成本，而上頭成本的租值由市場競爭釐定。

成本曲線天天不同

（二）投資下注前的預期平均成本曲線往往會以量增而下降，因為要算進龐大的入局投資。開始經營後的成本曲線只能以直接成本算，很容易是碗形的。把每個產量的租值加上去，較高的總平均成本曲線的形狀與開始經營後的直接成本的相似。成本曲線沒有長期與短期之分，但下注入局前與開始經營後的不同。開始經營後向前看，每天的成本曲線都可以變。

從出版行業的經驗看（見第七章），傳統的看法是直接的平均成本曲線不斷地下降。但出版行業，無論是印刷或是出版，都有多個競爭者。這競爭現象與平均成本以量增而不斷下降的邏輯有衝突。我在第七章的解釋，是出版行業有四個層面，從有關的需求與供應的層面看，不斷下降的平均成本曲線在出版行業不存在！

（三）如果一個生產行業的需求穩定，而大家投資生產的預期準確無誤，物盡其用，那麼在市場均衡的情況下，歷史成本會與租值的折現相若。下了注後，覆水難收的歷史投資，其回報是靠上頭成本的租值收入。這租值的或高或低，除了需求變動與直接成本變動的因素外，主要是其他還未參與的可能競爭者的入局投資成本。換言之，租值會受到還未入局的投資成本的保護，也是受到市場的維護了。

合約局限與價格波動

（四）如果生產有季節性的波動，時而生產用盡所能（滿負荷，full capacity），時而生產力閑置，那麼產品的價格的釐定，大致上有兩種。其一是生產企業與顧客有長期合約的安排，或是常客（熟客）與企業有不言而喻的長期關係。這樣，產品價格好些時不會因季節的波動而波動。生產企業有閑置時多賺一點錢，滿負荷時少賺一點。這是因為價格的波動對買、賣雙方的經營計劃都有不良影響。一個不是常客的光顧，產品的價格就會按季節的波動而波動了。

（五）如果在同一行業之內，某些企業滿負荷，而另一些有閑置，那麼一位顧客因為訊息不足而跑到滿負荷的企業訂貨議價，或一家企業不能應付過大的訂單，又或要趕工，其價會是有閑置之價多加一點交易費用。這是因為"接單"的滿負荷企業會把自己不能應付的訂貨發出去給有閑置的同行生產。這個"發出去"的現象是普遍的習慣，但經濟學者是忽略了的。

企業無界說

這第五點有三個重要的含意。其一是企業的大小無從界定。自己的設備小，把接到的訂貨發出去，可變為大。其二，為了利便行內發來發去，同行者喜歡集中在一起（當然，集中還有其他原因）。例如今天珠江三角洲一帶，首飾工業集中在番禺，而塑膠工業則集中在東莞。一位工廠老闆對我說："從生產的角度看，我的工廠是他人的，他人的工廠都是我的。"人盡可夫也。其三，上頭成本的租值釐定，不應該從單一家企業看。閑置的生產力，不管是哪家的，對整個行業都有影響。

總結複雜的一節

在上頭成本的問題上，我與前輩的看法不同。我認為傳統的分析加不起來。另一方面，前輩所用的上頭成本概念，與他們知道的成本概念有矛盾。歷史成本或沒有選擇的費用，不是成本。因此，上頭成本要從租值的角度看。租值的釐定不是從上而下，而是從下而上。不同產品或不同機構的租值攤分是由市場的看不見的手處理的。

企業開始經營後，直接成本是指那些不生產就不需要支付的費用。如果產品的價格釐定是以直接成本為憑，歷史投資會血本無歸。歷史成本不是成本，作了投資，歷史歸歷史，前途歸前途，生產企業會不顧歷史，只爭取最高的、直接成本以上的盈餘。有競爭的約束，但所有同行的競爭者都這樣做，互相約束，也互相維護，因為還沒有進入的潛在競爭者的直接成本一定較高。產品的市價於是釐定了。釐定了的市價，界定直接成本以上的盈餘，這些盈餘加起來就是上頭成本，但因為這些盈餘上上落落，企業還存在，我們要把總盈餘作為租值看。租值的攤分不是先有租值而後攤分，而是以產品的市價決定產品在直接成本之上的盈餘後，加起來而成租值。這就是上頭成本了。與歷史成本不同，租值是成本。上頭成本這個概念是重要的，但不能回頭看，要從租值的角度看。因為要入局的競爭者需要付出可觀的直接成本，入了局的上頭成本的租值由市場釐定，由市場維護，由市場攤分。漠視了上頭成本這個租值概念，競爭的行為與產品價格的釐定就難以解釋了。

參考文獻

J. S. Mill, *Principles of Political Economy*. John W. Parker, 1848.

A. Marshall, *Principles of Economics*. Macmillan, 1890.

P. H. Wicksteed, *An Essay on the Co-ordination of the Laws of Distribution*. Macmillan, 1894.

J. Viner, "Cost Curves and Supply Curves," *Journal of Economics*, 1932.

A. A. Alchian, "Costs and Outputs," Abramovitz et al., *The Allocation of Economic Resources*. Stanford University Press, 1959.

S. N. S. Cheung, "The Contractual Nature of the Firm," *Journal of Law & Economics*, 1983.

要注意的是一條平均或邊際成本曲線（或經濟學上的任何曲線，或任何數學方程式），其闡釋要講內容，要講含意。曲線的本身只是曲線一條，對解釋行為用途不大。要解釋行為，我們要加上內容，愈充實愈好。同樣的一條曲線，在不同的闡釋下會有截然不同的威力。所以我強調：理論要簡單，但要有複雜的層面；要淺，但要有深入的含意。這樣，一條曲線運用起來才可以得心應手，揮灑自如。

第七章：從出版與專業看成本

還要處理兩個關於生產成本的話題。其一是碗形的平均成本曲線對競爭的存在重要。雖然我們在第六章處理過，但還有問題。傳統最常用的產量增加平均成本下降的例子，是出版及印刷行業，但這些行業明顯地有激烈競爭的存在。本章提供出版與印刷的製作成本，是詳盡的真實資料，產量增加平均成本無疑不斷下降，但我們推出的平均成本曲線卻是碗形的。

其二是探討專業產出導致成本下降這個老生常談的話題。傳統的主要解釋是比較優勢定律。這定律無疑重要，但我認為如果所有的人天生一樣，比較優勢的成本一律相同，專業產出的行為不會大幅下降。

第一節：出版行業的實例

原則上，農業與工、商業的生產成本分析沒有什麼不同。經濟學者分析上頭成本時，不談農業，但農業也有上頭成本。經濟學者分析平均成本下降時，也不談農業，但農業也可以平均成本下降。說過了，理論要以簡單為上，但簡單的理論，其可用性要經過複雜的蹂躪。農業的生產成本分析比工、商業的簡單得多，不是因為有什麼不同，而是在農業上有好些細節我們可以置之不理。工、商業把這些細節放大，不能不理，因而變得複雜起來。

有了簡單的基礎，把之複雜化，然後再回復簡單，那麼簡單的理論就有複雜的層面，有深度，用以解釋世事就得心應手了。

世界上的生產行業多如天上星，但無論怎樣不同，生產成本必定有一般的規律。我們不可能調查研究所有的行業，才推出有一般性的規律來。選幾個行業來一般化是可以的，但我認為比較可取的辦法，是選一個有全面性的、不同成本有清楚劃分的行業，然後將之一般化。前思後想，加上要探討平均成本下降與競爭的共存，我選的是書籍出版這個行業。這行業有四個層面：出版商、印刷商、發行商、零售商——後者書店是也。

我選的產品例子是一本一百九十二頁的書，平裝，封面四色，紙質良好，設計可人。不是精品，但製作比較認真。這本中文書有九萬字，在香港二○○一年的零售價四十五元。作者有點號召力，在香港這個小市場估計可賣二千本。要記着，下面的數字是按二○○一年的印刷科技看。

出版商的成本

先從出版商說起吧。開始營業後，上頭成本的生產要素有場地、貨倉、電腦、經理、存貨管理員等。第六章第四節說過，上頭成本是直接成本以上的盈餘租值。出版商這本書的直接成本如下（二○○一年港元算）：編輯與修改文字 \$7,000，打字 \$2,700，校對 \$4,000，排版 \$2,000，設計 \$3,000，菲林 \$2,000。以上合共港幣 \$20,700。

數量二千本，印製費用是每本 \$6.57，總印製費用（連運費）是 \$13,149。二千本的零售總收入是 \$90,000，六折交給發行商，得 \$54,000。作者版稅百分之十（\$9,000），剩 \$45,000。減印製費用（\$13,149），再減出版商的直接成本

($20,700)，最後餘下來的是 $11,151。這後者就是該書對上頭成本的租值貢獻了。

朋友，你要在香港搞出版嗎？不容易生存啊！何況上述是假設二千本全部賣出。

印刷商的成本

如下是印刷商提供的真實數字，相當精彩：

三十二開內文一九二頁平裝書成本
（港幣，2001 年 7 月）

書本數量	500	1,000	1,500	2,000	3,000	4,000	6,000	8,000
封面紙	$292	$454	$616	$778	$1,102	$1,426	$2,138	$2,850
封面印刷	$1,400	$1,400	$1,400	$1,400	$1,400	$1,400	$1,400	$1,624
封面過膠	$296	$461	$625	$790	$1,119	$1,448	$2,171	$2,895
內文紙	$1,575	$2,700	$3,825	$4,950	$7,200	$9,450	$14,175	$18,900
內文印刷	$3,000	$3,096	$3,336	$3,576	$4,056	$4,536	$5,544	$6,552
裝訂	$1,200	$1,200	$1,200	$1,280	$1,920	$2,560	$3,840	$5,120
包裝	$31	$63	$94	$125	$188	$250	$375	$500
運輸	$150	$150	$188	$250	$375	$500	$750	$1,000
總成本	$7,944	$9,524	$11,284	$13,149	$17,360	$21,570	$30,393	$39,441
平均成本	$15.89	$9.52	$7.52	$6.57	$5.79	$5.39	$5.07	$4.93

眾所周知，印製書籍的平均成本是書量愈大愈低的。上列

的數字可見，五百本是平均每本 $15.89，一千本是每本 $9.52，八千本是每本 $4.93，到七萬本才跌到平線，每本 $4.52（這最後數字沒有列出來）。

有行規，不算直接成本

上列數字的印製“成本”，其實是出版商的付價。價與成本相同。這不僅是因為在競爭下價格等於成本，而與第六章的分析有關的，是上述的數字反映着的主要是上頭成本帶來的租值。提供以上數字的印刷商是不算直接成本的，因為有灰色地帶，不容易算。重要的是在印刷行內上述的每項數字都有行規，有行內的市價。一家印刷商可在某些情況下這裡加一點，或那裡減一點，可收則收，但求在競爭中適者生存。還有的是，上述的項目，每項行內之價分明，是利便行家發來發去給他家製造。不僅是一本書的總量或分量可以發出去，書的每項製作分發出去也是有的。有了行內成本價格的指引，趕工時就用不着花時間討價還價了。

行內的合作與競爭是沒有矛盾的。我反對博弈理論的其中一個原因，是這門學問的癮君子不明白市場，不明白市場的競爭與局限條件，喜歡假設競爭者勾心鬥角，要把對手殺下馬來。他們可能忽略了殺對手不死自己會中計，而同行的對手那麼多，殺之不盡，找些相熟的互相分發合作才是生意之道。

上述的金錢數字還有另一個重要的含意。這些數字包括上頭成本的租值，但顯然不是先有一個固定租值銀碼然後按量攤分。封面印刷那一項與裝訂那一項，開頭的幾個數量都有一個同樣的最低收費。這顯示着不是用一個固定租值攤分的。上頭成本的租值是以每量的盈餘算，不會有使平均成本下降的效果。但究竟該租值是否每量的比例相同，我們就看不出來了。

試產費用與準備費用

書量增加而平均成本下降這個現象，不難明白。紙張的平均成本下降，主要是因為損耗（又稱“補紙”）。這是試產的費用了。四色（封面）印製，五百本的紙張損耗率達百分之四十，數萬本大約是百分之五。單色（內文）印製，五百本的紙張損耗達百分之三十，數萬本大約百分之四。

印刷本身的平均成本下降，主要是直接的準備費用：要洗機，要製鋅版。四色的封面要製四件鋅版，也要校版，所以一千四百元這個最低費用要到書量六千之後才上升。裝訂的平均成本下降，主要是要校機。這也是直接的成本了。

以印刷行業與第六章第三節談及的量大而平均成本下降的理由對證，印製書籍的平均成本下降可不是因為方法有變，或熟能生巧，或有交易費用，而是因為有直接的準備成本及紙張損耗的試產成本。這些都可以明確地以量攤分。

趕工使平均成本上升

阿爾欽所說的同樣之量，趕工的平均成本會上升是對的。但理由與第六章第三節說的只有兩點相同。同在一家印刷廠趕工可以不談，因為通常不這樣做。通常處理急速趕工的辦法（如政府要趕印大量公告，或一家上市企業要在一兩天內趕印公司業績），是分發出去給其他行家。這樣，準備費用與試產費用就要重複了。另一方面，交易費用與運輸費用也會增加。

從上述的數字可見，印製八千本的平均成本是 $4.93，時間大約是兩個星期。要趕工，分發出去，四家印刷廠一起做，每家二千的平均成本是 $6.57。分兩家的平均成本是 $5.39。不是分兩家就一定快一倍，分四家就減少四分之三的時間，但分量合產是可以減少時間的。

直接成本與平均成本下降

我們不妨在印製的平均成本上加上出版商的 $20,700 直接成本。是明確的直接成本，印製一本是這個成本，十萬本也一樣，所以這成本可以量攤分。把這攤分加在印製的平均成本之上，我們得到如下的數字。

出版商的直接成本

書本數量	500	1,000	1,500	2,000	3,000	4,000	6,000	8,000
平均成本	$57.29	$30.22	$21.32	$16.92	$12.60	$10.57	$8.52	$7.52

平均成本下降得更急了。這解釋了為什麼大受市場歡迎的作家，像金庸或瓊瑤，是那樣富有；解釋了為什麼作者的版稅率通常是累進的；也解釋了在書籍市場不夠大的地方，人民少看書。這也可以讓我們推斷，只要中國大事開放言論，炎黃子孫的知識會增長得非常快。

第二節：出版行業的成本曲線：碗形的闡釋

解釋市場的供應行為不一定需要有供應曲線。傳統上，分析一個壟斷者（monopolist）的供應就不用供應曲線了。（不是沒有供應，而是曲線畫不出來。）成本曲線比較重要，但從阿爾欽的分析可見，這曲線不一定存在。在有多個生產者競爭的市場中，成本曲線的存在是畫出市場供應曲線的先決條件，因為後者是競爭者的邊際成本曲線向右橫加而成的。沒有長期與短期之分，我們選用的是與真實市場有關的成本曲線。

老問題又來了。要有多個生產者的共存而競爭，在市場的需求範圍內，一個生產者的平均成本不可以不斷地下降。平均成本若不斷下降，市場只可以容許一個生產者存在。我們在上一節分析過了，書籍印刷商的印製與出版商的編輯出版，若不趕急，平均成本是書量愈大而愈低的。然而，觀察所得，出版行業有多個印刷商與出版商，單一存在之說不能成立。

經濟學者把問題搞錯了。對一個行業的分析，他們的慣例是把消費者的需求放在一邊，另一邊是生產者的成本曲線——有多個生產者就把他們的邊際成本曲線橫加起來而成為市場的供應曲線。假若一個生產者的平均成本不斷下降，壟斷就是必然的結果。

一本書的成本曲線有四條

結構上，出版行業與其他生產實物的行業沒有什麼不同。然而，以出版為例，需求書籍的消費者面對的成本曲線，不是印刷商的，不是出版商的，也不是發行商的，而是零售書店的。出版行業有四層成本：印刷、出版、發行、零售；四套不同的成本曲線。

第一層是印刷商的成本，若不趕急，如上述，印製的平均成本是書量愈大而愈低的。這樣，一本書的印製會由一家印刷商從事。這方面可看為“壟斷”。但出版商通常會向幾家印刷商議價，而就是不多方議價，承接印製的也不敢亂開價，因為知道有競爭者的存在。見到的壟斷是有形無實的。為什麼一家印刷商不能壟斷整個行業呢？

印刷與出版皆以“書號”為量

平均成本下降，一家印製，不代表真實的壟斷。然而，從出版商的需求與印刷商的供應關係看，平均成本是否真的下降呢？答案是：只看一本書（一個書名，內地稱一個書號），量增加平均成本下降是對的。但印刷商面對的印製成本曲線，不應該以一個書號（一個書名）之內的本數為量。印刷商的成本曲線，應該以“書號”為量的單位。一個書號，印二千本，其量是一。雖然印刷商說明每本之價，但他是以一個書號的總成本，除之以一個指定的書本量。一家印刷商印製很多書號，以書號作量度單位，其平均成本是很容易會上升的。那是說，以書號為量，碗形的平均成本曲線容易成立。這樣，一家印刷商不能壟斷整個行業。這是說，在好些情況下，平均成本要以“工程”算。一個書號是一項工程；另一本書，或同樣的書重印，是另一項工程。

邊際成本的爭議

這就帶出一個名重一時的話題：上世紀三十年代起自倫敦經濟學院的邊際成本的爭議。依照傳統的看法，要合乎經濟效率（economic efficiency），價格要與邊際成本相等。價格代表着最高的邊際用值，而邊際成本則是增加少許生產的最高代價。邊際上用值等於邊際成本，產量恰到好處，不能再增加或減少產量來使大家得益。若邊際成本高於邊際用值，減產有利；若邊際成本低於邊際用值，增產有利。

然而，在平均成本下降的情況下，邊際成本必定低於平均成本。這樣，若價格與邊際成本相等，價格會低於平均成本，生產者一定虧本。平均成本不斷下降會導致“壟斷”，而若價格等於或高出平均成本，也就高於邊際成本，違反了價格等於邊際成本的有效率情況。這是支持政府管制公共行業（public utilities）的主要理論。

可是，我們在上文提及，因為一本書的印製數量增加其平均成本下降，一個書號通常只由一家印刷商"壟斷"印製，但這壟斷有形無實：印刷商是要在市場競投的。我們還要作另一個重要的修改。那是上文提到的，以印刷商而言，一個書號之內的印製數量不是有關的平均成本量度。有關的量度要以書號計。出版商不能以二千本議價，然後以其平均價訂製五百本。印刷商所開之價，雖然有每本的平均價在其內，但永遠是以一個固定了的總印製量為依歸。出版商選了一個書號的總書本量，同意了總量之價，是大家同意以書號為量，以書號為價。一家印刷商會為多個書號而生產，而同一書號重印時，是量的另一個單位了。

無效率的謬誤

還有一個有趣的問題。同一書號印製一次，書本量愈大其平均成本愈低，所以從每本看，其平均價是高於邊際成本的。上文指出，這不是適當的量度。我們問，要是用這量度而又從傳統的角度看，價高於邊際成本，無效率（inefficient）之說可以成立嗎？答案是不可以的。任何出版商會告訴你，一個書號的書本量太多，免費送給他也不要。我們不妨回頭看本書卷一第五章第七節《何謂量？》中關於維他命丸的例子。買一瓶多種維他命丸，除非是萬中無一的機緣巧合，一個消費者會認為某些維他命太多，某些太少。消費者的有關衡量，是一整瓶之價與一整瓶給他的邊際用值。這好比買一個蘋果，你可能認為太甜，糖分太多，糖的邊際價格是零你也不想多要，但衡量整個蘋果，你明知是太甜也買了下來，何無效率（浪費）之有？

第二個出版行業的成本層面，是出版商的成本。這裡，出版商的成本曲線，也要用書號算。理由跟印刷商類同。出版商要出版多個書號。從上文提供的成本數字看，一個出版商的考慮是一個書號印製一次的成本與這次書量的預期收益。以書號算，碗形的成本曲線也容易成立。

以本數算量的情況

第三個層面，是發行商以本數為量，其平均成本曲線很容易是碗形的。理由是發行商跟出版商取貨是以本數算，時多時少，變化頻頻。發行商生意驟增時車輛不夠，人手不足，邊際產量下降定律就發揮其效果，使平均成本上升。存貨的成本也受到這定律的約束。既然有本數可多可少的選擇，發行商的碗形平均成本曲線上的每一點是他們可以處理的最低成本。

最後一個層面，是書店的成本曲線，也是以本數為量。這個層面，邊際產量下降定律的效果最明顯。一家書店的可用面積不容易隨意增加。書量多了，互相擠逼，每本書能賣出去的機會下降，或需要較長的時間才能賣出，其平均成本就上升了。

成本曲線要有真實內容

讓我作一個簡略的總結吧。一個行業的成本曲線可以有多條，但我們選用的只是那些與真實世界的行為有關的。有關的不多，但要以每個不同的層面劃分。需求的組合不同或生產的層面不同，我們要用不同的平均與邊際成本曲線來處理。量的單位重要，不可以亂選。以書號為量是因為印製之價是以一個指定的書本量而定的。其後拆散出售，量就要轉為以本數為單位了。

要注意的是一條平均或邊際成本曲線（或經濟學上的任何

曲線，或任何數學方程式），其闡釋要講內容，要講含意。曲線的本身只是曲線一條，對解釋行為用途不大。要解釋行為，我們要加上內容，愈充實愈好。同樣的一條曲線，在不同的闡釋下會有截然不同的威力。所以我強調：理論要簡單，但要有複雜的層面；要淺，但要有深入的含意。這樣，一條曲線運用起來才可以得心應手，揮灑自如。

第三節：專業生產成本大跌

馬爾薩斯（T. R. Malthus, 1766-1834）一七九八年提出有名的"人口論"，很悲觀。他認為人口以幾何級數（geometric progression）上升，而物品供應只能以算術級數（arithmetic progression）上升，僧多粥少無可避免，最後的人口均衡點，是僅足以糊口的物質享受，以飢餓淘汰不適者。

人口大升生活大進

歷史證明馬爾薩斯是錯了的，大錯特錯。今天的世界人口，比馬氏時代不知上升了多少倍，但生活水平卻大大地提升了：我們的平均壽命，比二百年前的人大約多活三十年。今天的中上人家，除了大屋與醇酒美人，比三百年前的皇帝還要生活得好。

據說中國在明代初期，人口大約六千萬，今天上升了二十多倍。雖然二百年來炎黃子孫多災多難，但只經過三十年的改革，今天的一般生活水平比明代初期高得多。是的，雖然今天中國還有很多老百姓貧病交迫，但生活享受還是改進了，平均壽命增長可能不止三十年。

究竟發生了什麼事？為什麼人口大升而物質享受也大升？科技進步當然有關，但正確的闡釋是市場容許專業生產，使成本大跌，然後大家交易而互利。

在卷一第七章我說過：

以交易而交征利，與沒有交易相比，前者的利益增加大得驚人。這龐大的利益增加，主要是由於每個人專業生產，然後交易。不談生產而單論交易，利益還是有的，但比起有專業生產的存在，其交易的利益少很多，近於微不足道。

圓珠筆的例子

在課堂上我喜歡舉圓珠筆的例子。筆的尖端用圓珠是一個價值連城的發明。這發明很有名，因為當時非法抄襲製造的人無數，持有發明專利的以法律起訴頻頻，但抄襲的見有巨利可圖，樂意賠償給專利者。

今天的圓珠筆，比六十多年前的質量高得多了，圓珠再不漏油，其製作牽涉到塑膠的發明，金屬的混合，石油工業的油墨，也要論設計等。要是這些發明完全不存在，一百個天才，讓他們窮畢生之力，圓珠筆可以製造出來嗎？我認為成功機會甚小。今天一支稱意的廉價圓珠筆賣多少錢？港幣一元多，其中大約八成是市場的交易費用！

一個香港的平凡大學生，替中學生補習，需要用多少時間才可賺取一支圓珠筆呢？答案是：三十秒！一個平凡的大學生工作三十秒時間，可以買得一支一百個天才窮畢生之力也不容易造出來的圓珠筆。交易之利，何其巨也。

為什麼會有這樣的怪現象呢？經濟學的傳統答案，是比較優勢定律。這定律弗里德曼認為是最重要的，我在本卷第五章的第二節分析比較成本時說過了。比較成本的理念，無疑可以解釋專業生產的行為，但我認為不是弗老說的那樣重要，因為專業生產還有其他重要的決定因素。我認為如果世界上所有的人天生一樣，每個人的比較成本相同，專業生產還會發生。除比較成本外，專業生產還有其他三個因素，可能更重要。

比較成本之外的重要因素

（一）分工合作。分工（division of labour）是指不同的工人每個專於生產一件物品的一部分，然後合併起來。是斯密一七七六年提出的。斯前輩顯然認為分工合作非常重要，因為他的經典巨著《國富論》一起筆就談這件事。

斯密以製針為例。他調查過一家小型的製針廠，生產只用十個工人，每人造針的一部分而合併。斯前輩說，要是一個沒有受過訓練的人獨自造針，每天造出一根針也不容易，二十根絕不可能。但他調查的小型製針廠，十個工人每天可造出十二磅針。那是四萬八千根以上，等於每人每天生產四千八百根！這是分工合作的奇蹟。我們在前文說過，產量愈大，可以選擇的不同生產方法愈多，而分工專業有很多不同的生產方法可以選擇。

（二）熟能生巧。前文說過，熟能生巧也是要產量夠大才可以促成的。這與分工合作有關聯，但理由不一樣。我調查過一家玩具廠，差不多全部製作用件工。製造塑膠洋娃娃，我特別欣賞一個以油墨替娃娃塗上眼睛的工人。只塗眼睛，其他的娃娃事項不幹。這工人塗上眼睛後隨手把娃娃拋進竹籮子內。試想，油墨未乾，娃娃拋進籮子，一不小心油墨就會弄污籮中的其他娃娃。我見到的那位工人從不出錯，快如閃電，似乎連看也不用看就拋得層次井然。此乃熟能生巧也。

（三）知識累積。這是最重要的，但奇怪地少人提及。有價值的知識或發明，不僅可以改進，而且有比萬里長城更頑固的存在性。人類五千年前的好些發明，我們今天還在用。是的，人類有價值的知識資產，一旦想了出來，驅之不去。知識資產既可改進，也可增加，積少成多，可以永無止境地累積，以至多得難以想像。

大家都知道，科技的進步既可帶來新產品，也可大幅地使生產成本下降，而自二十世紀中期起，科技的進度簡直如天方夜譚。我要指出的重點，是知識累積是科技突飛猛進的先決條件，而這累積是非專業處理不行的。累積了的知識的改進，也要由專業處理。

想想吧，天下間的知識那樣多，那樣廣，那樣複雜，一個人所能學得或記得的充其量是微不足道的一小點，改進也不容易。知識的累積若由很多的人專業處理，會變得龐大之極，而持有知識的專業人士合作研究，相輔相成，改進就容易得多了。今天，先進之邦的私營研究實驗室，都是這樣安排的。

市場對專業的貢獻

市場是協助專業生產的一種安排。不是唯一可行的安排，而是其中一種。歷史的經驗說，以市場處理專業生產，同樣產出水平市場的交易費用比其他安排的低很多。由政府分派工作，指導專業生產，不是不可以，但因為缺少了市價的指引，在比例上其交易費用（包括訊息費用）高多了。不是說市場的交易費用低：大約的估計，市場的交易費用佔物價的一半以上。但專業生產而交易所得的利益，動不動以千、萬倍計，減除了龐大的交易費用，餘下來的交易利益也驚人。

一九八一年推斷中國會走市場經濟的路向時，我指出一個社會富裕與貧窮的關鍵，是交易費用在國民收入中的百分比。這百分比減低少許，就大富；增加少許，就大貧。但市場的安排是需要有權利界定的。這是科斯定律的主旨，是卷四的話題了。

專業生產不可能自給自足，要以自己的產品換取他人的。市場是一種安排，我們説過了。一市如是，一省如是，一國如是，多國也如是。那些主張生產多元化或支持保護主義的，是自廢武功，但可以維護特權利益。

世界上從來沒有一種供應，能比讓供應者賺錢的供應來得可靠。香港沒有農業可言，但香港人沒有擔心過有錢買不到飯吃。就算是一國被外地制裁，某些物品受到禁運，歷史上我們沒有見過有錢賺的走私被杜絕了的。走私的存在，是因為走私的費用低於專業生產的利益。

結語

古典經濟學派處理生產活動，主要是集中在遠比工業簡單的農業，雖然斯密的《國富論》起筆分析的是一家製針工廠。把農業簡化，生產要素分勞力與土地，是有悠久的日子了。新古典的處理，引進邊際產量下降定律是重要的改進，但轉到工業那邊以資產替代土地不是貢獻，而以數學引進生產函數，在內容上也沒有增加了什麼。

經濟學者對工業的生產運作少作實地考查是嚴重的缺失。本章提到的出版行業算不上是複雜的工業，但我只略作考查就顯示着傳統之見錯漏百出。經濟學者對真實世界的漠視是難辭其咎的。

邊際產量下降定律重要，但多到真實世界觀察，我們會發現工業的生產運作還有不少環繞着該定律的規律，甚至好些時邊際成本曲線畫不出來。這些變化一律有趣，考查不易，因為牽涉到合約結構的轉變。我會在卷三第六章再作補充。

參考文獻

A. Smith, *An Inquiry into the Nature and Causes of the Wealth of Nations*. W. Strahan and T. Cadell, 1776.

A. Marshall, *Principles of Economics*. Macmillan, 1890.

A. A. Alchian, "Costs and Outputs," Abramovitz et al., *The Allocation of Economic Resources*. Stanford University Press, 1959.

市場交易無疑給社會很大的利益，但這利益不足以解釋市場的存在！如果交易費用真的是零，更大的利益可以不通過市場而獲取……市場的出現是證實着社會有交易或制度費用。不會因為要增加這些費用，而是某些費用市場可以協助節省。然而，無論是產權界定的費用，訊息傳達的費用，市價釐定的費用，量度的費用，合約的費用——還有其他的——皆因市場的存在而存在，那麼市場可以協助節省的費用是些什麼呢？腦子閉塞，這問題我想了近二十年。

第八章：制度的費用

讓我先簡略地再說一次經濟解釋的理論架構。

個人爭取利益極大化是經濟學的基礎假設或公理。這爭取要受到局限（constraint）的約束。約束有多種，可以分類，而類與類之間的劃分不容易明確，"過界"的混淆往往存在。這些混淆不難處理，也可以容許。要避免的是我們不能因為有混淆而重複了局限的引進。

第一節：局限轉變與行為解釋

解釋行為，或解釋因為人的行為而導致的現象，基本的經濟學法門只有一個。那是從局限轉變推斷行為轉變，而二者的聯繫要用簡單的理論。這裡的重點是"轉變"。局限不變行為不會變，而不變的行為是無從推斷或解釋的。推斷一個人走東或走西，吃飯或睡覺，都是轉變，而推斷得準等於解釋得出。這裡要注意，凡是局限或行為的轉變皆屬"邊際"性的，而此"際"也，可大可小。數學微積分說是處理小的。其實從宇宙的變化看，小的可以看為大，大的可以看為小。懂得從邊際轉變的角度看問題，技術就過了最重要的一關。數學功夫與分析技術是兩回事，不要弄錯。分析技術重要，因為是邏輯推理的本領。這本領不足，數學或可協助，雖然方程式滿紙但內容空空如也的經濟學文章可真不少。

以局限轉變來解釋行為或現象，這轉變需要可以觀察到，可以量度。簡化容許，但一定要與真實世界的有關局限大致吻合。無從觀察的局限轉變或現象是實證科學之外的話題，涉及的理論只是描述一些聽來可信的故事，但無從觀察，於是無從驗證，是對是錯只有天曉得。以博弈、勒索、機會主義等看不到的行為或意圖推理可以邏輯井然，是說故事，不是從可以觀察到的局限轉變來解釋行為，算不上是實證科學。不可能是。

局限的兩種分類

所有約束人類行為的因素是局限。局限有多種，有兩個方法分類，都對。其一是把價格或代價看為一類，而價格或代價的轉變一定是相對性的（見《科學說需求》第五章第六節）。這裡，推斷行為的理論是需求定律。所有其他局限及其轉變——例如收入、資源、產權等——屬第二類。這第二類的局限轉變通常以個人爭取利益極大化這個公理來處理。從解釋行為的角度衡量，這公理因為約束力不足而用場不大。好比經濟學課本的等優曲線分析有一條收入擴張曲線（income expansion path），說一個人的收入增加，這個人選取的物品會增加，但哪些會還增加多一點哪些少一點，甚至某些物品的選擇會下降了，都是容許的。肯定的約束不多，解釋行為就不容易有可以被行為推翻的驗證含意。這就帶到我要說的：價格或代價之外的其他局限轉變，在審查下，或多或少會導致價格或代價的相對性轉變。這也是說，價格或代價之外的局限變動不一定帶來相對性的變動，但細心審查通常有。只要能推出這後者的轉變，需求定律又再用得着了。這是說，不管是哪種局限轉變，我們要設法找尋價格或代價的變動，然後把需求定律放在面前。

我說“價格或代價”，因為前者通常是指市場之價。數之不盡的行為是沒有通過市場的。友情、聲譽等非金錢物品一般沒有市場，魯濱遜的一人世界沒有市場，人民公社時代的中國也少論市場。沒有市場，需求定律依然可用，但要以代價替代市價或價格。基本上，處理任何局限轉變的原則是：設法把這轉變翻為代價的轉變，然後拿出需求定律。有市場，看市價的變動，需求定律的應用就更為方便了。

第二個把局限分類的方法，我也喜歡用，是有社會與沒有社會之分。這是説，有些局限沒有社會也存在，而另一些沒有社會是不會存在的。社會是指多過一個人的世界。曾經説過，只因為魯濱遜的世界多了一個人，經濟分析的困難上升不止百倍。競爭是局限，產權是局限，市價是局限，政治是局限，合約是局限，風俗、宗教等也是局限，而這些局限在一人世界是不存在的。需求定律在一人世界中，因為可從代價看需求，無疑重要；社會有市場，論市價，需求定律老生常談。然而，在社會中，市價之外的其他局限複雜，變幻頻頻。經濟學有系統地發展了二百多年，真正有解釋力的理論還是環繞着需求定律。個人的經驗，是只這定律足夠。問題是應用這定律的人懂不懂得處理局限的變化，能否把這變化翻為價或代價的轉變。

互動衍生處理困難

因為社會的存在而衍生的局限中，最難處理的是交易費用。廣義上，這些應該稱為制度費用的局限，不是中間人收取的佣金那麼簡單。讀到本章第三節同學可能感到天旋地轉了。從人與人之間的互動衍生出來，自私的利益極大化行為可以導致這些費用的減少或增加。畫不出函數曲線。上世紀七十年代後期開始以博弈理論的方法處理，是在説故事，是對是錯無從驗證。交易或制度費用不容易處理，但不是無法處理。

一九八一年我準確地推斷了中國會走市場經濟的路，是基於我指明當時觀察到的交易或制度費用的轉變會是穩定的。遠為細小的基於交易費用轉變的推斷我作過多次，都準確，但像任何實證科學的推斷一樣，要基於指定的局限轉變會繼續穩定。所有實證科學對驗證條件（test conditions，大致上經濟學稱局限條件）都有這個"穩定"的要求。

沒有疑問，以交易或制度費用的局限轉變來解釋或推斷世事，對真實世界要知得多，而在有關的要點上要知得深入。這是實證科學要在實驗室多操作的要求。一九九八年我以英文發表的《交易費用的範疇》，其中一句話受到行內的朋友普遍認同。我寫道："交易費用不是一個需要爭取終生僱用合約的年輕助理教授應該嘗試研究的。"在該文我提到把交易費用引進傳統的經濟分析有兩項困難：

（一） 交易費用的引進不能像分析運輸費用或中間人收取佣金那麼簡單，不能把幾何圖表的一些曲線移來移去，或在方程式中加進一些函數。換言之，傳統引進運輸費用或抽稅、付佣金之類的分析，我們可以看為生產成本的增加或減少，但交易費用的處理卻沒有這樣的方便。倒轉過來，我們不能仿效瓦爾拉斯的傳統，認為假設交易費用是零與假設運輸或佣金費用是零是相若的。是的，交易費用不是運輸費用，前者的轉變一般會導致合約或制度結構的轉變，而市場或社會可以利用合約或制度的轉變來減低交易費用。

（二） 引進交易費用第二方面的困難，是我們不能坐在辦公室內猜測真實世界的交易費用會是怎樣的。牽涉到交易費用的經濟學一定是真實世界的經濟學，我們要到真實世界考查才能知道某些交易費用轉變的大概。舉些例子吧。我曾經只花三個月的時間在農村實地考查蜜蜂租賃合約及其局限，就寫出一篇不少學報要發表的文章。但在房屋租用合約這項目上我花了四年，石油工業的換油合約我花了六年，而在發明專利與商業秘密的租用合約上，我花了五年時間作研究也近於一無所獲。

是的，為了處理上述的兩項困難，我花了數十年時間把傳統的經濟理論大手簡化，儘量讓出空位，好讓我能較為容易地把交易費用放進分析中。放進交易費用有時要這樣放，有時要那樣放，而有時略轉一下角度可以看到新奇的一面。經濟學中的需求定律不可或缺，成本概念不可或缺，競爭含意也不可或缺。我喜歡先在這三者的基礎上引進交易費用看問題，有了大概的理解才考慮其他細節。

第二節：從交易費用到制度費用

雖然十八世紀的休謨與斯密意識到交易費用的重要，以這些費用作為主題分析遲至一九三七年始見於科斯發表的《公司的本質》。該文說，因為使用市場機制有費用，尤其是釐定市價有費用，公司出現替代市場。是有名的文章，但三十年過去注意的人不多。一九六〇年科斯的另一篇重要文章轉用交易費用（transaction costs）這一詞，此詞一九五〇年J. Marschak（1898-1977）曾經用上。

六十年代，戴維德、阿爾欽等人認為科斯的公司論調是套套邏輯，反映着新古典學派的不足處。這學派要不是暗地裡假設交易費用是零，就是暗地裡假設交易費用高不可攀，而最大的失誤是完全漠視交易費用的存在或不存在。馬歇爾發明的長期、短期的處理方法是避開了面對交易費用的現實。

戴維德與阿爾欽認為科斯的"公司論"屬套套邏輯不是亂來的。市場與公司的運作形式不同，指着交易費用的或有或無、或多或少作解釋理所當然，但說了等於沒說，屬套套邏輯。事實上，在我構思博士論文的六十年代中期，同學之間喜歡把不明白的現象推到交易費用那邊去。這當然也是套套邏輯的玩意，因為要推出可以被事實推翻的假說，驗證了，沒有被推翻，才算是解釋。我當時重視科斯的"公司"只因為一點——他問得好：市場靠市價這看不見的手指導生產；公司靠經理這看得見的手指導，那是為什麼？

佃農合約的啟發

我要到一九六六年的秋天，肯定理論與事實皆說佃農分成、僱用勞力、固定租金這三種合約安排有相同的生產效果，因而不能不問為什麼市場會選擇不同的合約。在引進交易費用與風險來解釋合約選擇時，我突然意識到科斯的公司文章也是關於合約的選擇，雖然他沒有那樣說。一九六七年的秋天到了芝大，認識科斯，對他說他的公司文章其實是說合約的選擇。他想了幾天說同意。一九六九年我的合約選擇文章發表時，直說跟科斯的公司文章屬同曲。

一九八三年我發表《公司的合約本質》，雖然力陳來自科斯的影響，但分離頗大。有四點重要的不同。一、不是公司替代市場，而是一種合約替代另一種——市場一也。二、在生產運作上公司的大小無從界定。三、經過詳盡地調查香港的件工合約，我的公司文章示範着真實世界的監管費用。四、提出"委託價"這個新理念，解釋了議價與監管的困難。

交易費用的擴張

這就帶到一個重要問題。監管費用是交易費用嗎？明顯地，監管可以沒有交易，而交易不一定牽涉到監管。更難處理是監管與交易可以同時執行，二者僱用同一員工。我喜歡舉公路收費的實例：守在關口收費是交易，但收費的員工同時“監管”着不付費的車輛不能使用公路。兩種服務聯合在一起的“生產”活動不是公路獨有：同一生產程序有兩種或以上的產品同時產出是經濟學老生常談的話題，joint products是也。好比羊毛出在羊身上，宰羊取肉，羊毛與羊皮同時產出。這種聯合產出的活動，邏輯上我們無從把每樣產品的平均成本算出來。邊際成本卻可以每樣產品算出——羊毛與羊肉的邊際產量可以調校。只要知道邊際成本的變動，以這轉變來解釋行為就足夠了。

回頭說交易費用，其複雜程度遠超公路的例子，更遠超羊毛出在羊身上。單是市場交易的物品或資產需要有清楚的權利界定，牽涉到產權的保障，差不多所有律師及法官的收入都要算進去。此外，訊息、防盜等，皆費用也。這就是問題。數之不盡的費用跟交易沒有直接的關聯，而如果這些費用不付出，市場交易或多或少會受到影響。更頭痛的是，昔日的中國壓制市場，導致走後門、搞關係、排隊輪購等費用高，而又因為政治上的需要，背口號、記術語、論思想，甚至無日無之的各種鬥爭——這些是交易費用嗎？當時中國的市場交易很少，但可以闡釋為交易費用。有點模糊，加上上文提到的聯合性帶來的問題，交易費用這一詞可以誤導。

轉從社會的角度看

因此，一九六九年我逼着給交易費用來一個廣泛的定義：凡是在一人世界不存在的費用，都是交易費用。這劃分很明確：只有社會才存在的費用，跟一人世界也可以存在的費用是容易分開的。但這樣看，以“交易費用”一詞來形容人與人之間的互動衍生出來的所有費用，有頗大的誤導成分。凡有社會必有制度，以制度費用（institution costs）來描述我建議的廣泛定義比較恰當。然而，傳統的術語不容易一下子改過來。我歷來不喜歡創造術語，所以有時我稱交易費用，有時稱制度費用，有時把二者一起稱呼。

在我們今天的社會中，交易或社會費用很龐大，往往佔國民收入一半以上。商人、律師、法庭、銀行、公安、經紀、經理、公務員等，都是因為有社會而衍生的。在一個以農業為主的國家，需要防盜，可以有戰亂，但一般而言交易或社會費用在國民收入的比率是較低的。也不一定。在人民公社時代的中國，農民佔人口百分之八十五，但政治氣候促成很高的制度費用。另一方面，以工商業為主的國家，因為專業生產帶來很大的利益，可以容許很大的交易或制度費用的存在而人民還可以稱得上是富有。我在一九八二年發表的《中國會走向資本主義的道路嗎？》中指出，只要交易或社會費用能在國民收入的百分比上下降少許，國民的總收入會飆升。二〇一〇年看，這推斷是應驗了。

量度方法與假說驗證

這裡我要提出關於交易或制度費用的另一個問題。認真地嘗試過以交易費用的變化來推出假說的同事一般認為，這些費用通常難以觀察，往往無從量度，推出可以被事實驗證的假說難於登天。當然不易，但不是那麼困難。

首先，同學們要重溫《科學說需求》第四章第二節，關於基數量度（cardinal measure）與序數量度（ordinal measure）。原則上，交易費用是可以用基數量度的，即是可以加起來。但如果實際的市場的交易費用數據找不到——通常找不到——轉用序數排列交易費用的高低足夠。解釋行為或現象要從局限的轉變（邊際）看，也要能成功地排列選擇的次序。量度是排列，序數量度是只排列次序，不管不同的選擇之間的差別。

不要被數字密密麻麻的回歸分析誤導。算得上是可讀的經濟統計文章鳳毛麟角。在好些情況下統計分析可以協助，但統計也可以欺騙，而發表的數字往往不盡不實，容易誤導。我在一九九八年發表的《交易費用的範疇》中有一段話，弗里德曼讀後來信讚賞。那段話是這樣寫的：

> 有人説研究交易費用是白費心思，因為這些費用往往無從量度。這觀點是錯的。基本上，量度是以數字排列次序，而量度的精確性只能從不同觀察者的認同性衡量。説成本或費用可以量度，甚或説可以量度得精確，意思不是説可以用金錢來量度的。如果我們可以説，其他情況不變，某種交易費用在甲情況下會比乙情況為高，而不同的觀察者會作出同樣的排列，交易費用是被量度了——起碼在邊際上。可以驗證的假説於是可以推出。

座位票價的實例

不要以為經濟學的假説驗證要用很多數字，或可以畫出一條好看的曲線。只用兩個情況的兩點往往足夠。我喜歡在一個假説中推出不同的驗證，這裡兩點那裡兩點。不同的驗證愈多愈妙，但同一驗證的點數增加通常沒有大助。

一九七七年我發表《優座票價為何偏低了？》，當時不同意的行家無數，但今天高舉此文的君子愈來愈多，而據説效率工資理論（efficiency wage theory）的思維源自該文（我認為效率工資是謬論）。優座票價偏低的論點簡單，而我的假説驗證是採用當時香港電影院的資料。當時香港的電影院的座位分等級，有兩層。下層分前座、後座，後座較優，票價也較高。上層分超等、特等，特等較優，票價也較高。上層一律界定比下層為優，即是上層較差的超等票價高於下層的後座票價。

說優座票價偏低，是指上層的特等與下層的後座通常先滿，而如果不滿，座位票沽出的百分率永遠是每層的價高座位較高。這是說，每層的優質座位的票價顯然是偏低了。我提出的簡單解釋，是一層之內，如果優質座位不是先滿，購買了票價較低的“劣”座票的觀眾，在開場後會跳到空置的優座那邊去。換言之，讓優座先滿是讓顧客保護着自己的座位，從而減少了監管或防止跳座的行為的費用。以查票方式監管的費用是交易費用，略把優座票價調低，先滿，利用顧客自己保護座位，會減少電影院的監管或交易費用。至於這減少監管費用會增加票房的總收入，推理分析佔了該文的大部分篇幅。

該文作了幾項驗證，皆用兩“點”序數排列的方法，而監管或交易費用我沒有用金錢量度。如下是我認為最簡單而又有說服力的驗證。

上層的座位比下層的為優，但上層與下層有不同的進口，各有員工守在進口驗票。進場後，下層的觀眾要跳座不能跳到上層去。其含意是，下層後座票價偏低，先滿；上層特等票價偏低，也先滿；然而，上層與下層相比，雖然前者一律價高於後者，但因為不能從下層跳到上層，兩層之間的跳座監管費用下降為零，所以跟下層相比，上層一律較優的座位的票價可沒有偏低了。驗證容易。一九七五年我跑香港的電影院十多晚，沒有見過上層先滿的現象。

第三節：租值消散是制度費用

租值消散（dissipation of rent）是經濟學的一個重要話題，可惜重視的人不多。今天一些朋友説，行內久不久傳言上世紀曾經在西雅圖出現過一個華盛頓經濟學派。這應該是指我、巴澤爾、諾斯及其他幾位同事及同學的興趣。處理交易費用是這學派的主要研究，而比較獨特之處是重視租值消散。一九八二年我離開了華大，跟進中國的改革發展，對租值消散的體會更上一層樓。是複雜的學問，我要把自己在這方面的思想發展過程從頭申述，讓同學跟着走一趟。

奈特與庇古的分歧

話題起於奈特（F. H. Knight）一九二四年的一篇重要但難讀的文章。該文批評庇古（A. C. Pigou）一九二〇年的社會成本分析。奈特之作是後來一九六〇年科斯的大文（科斯定律源於此）的前身。分析社會成本，庇古提出公路使用的例子。兩條公路，一好一壞，都是從甲市通到乙市去。好路平坦但狹窄，壞路殘破但寬闊。駕車的人爭走好路，互相擠迫，導致堵塞。壞路寬闊車少，永遠沒有堵塞的情況。好路與壞路的行車時間因而相同。庇古的看法是，好路堵塞，車輛互相妨礙，社會成本與私人成本有了分離。如果政府強行抽好路的使用税，把部分車輛趕到壞路那邊走，那麼轉用壞路的因為沒有堵塞，沒有損失；付税用好路的因為有車輛少了之利，也沒有損失。政府賺了税收，可做些對社會有貢獻的事。

奈特認為庇古的邏輯沒有錯，但指出好路堵塞是因為該路不是私人產業。他指出如果好路是私產，路主會收使用費，跟政府抽的理想税有完全一樣的效果。這批評重要：好路堵塞，導致社會成本與私人成本分離，無效率，可不是因為市場失敗，而是因為好路不是私產，沒有市場。

庇古沒有回應奈特，只是在他的名著再版時把公路的例子刪除。這可能把產權經濟學的發展推遲了三十多年。

一九五四年，另一篇有關的重要文章出現，奇怪地沒提到庇古與奈特。作者是 H. Scott Gordon，分析公海漁業。他把奈特的兩條公路的使用成本曲線轉為兩個漁場的產出曲線。兩個漁場也是一好一壞，但因為漁場不是私產，捕魚者競爭捕釣，導致好漁場應有的租值消散了。據我所知，"租值消散"（dissipation of rent）這一詞起自 Gordon 的文章。

公海捕魚之謎

一九六九年輪到我被邀請寫一篇關於公海漁業的文章，重讀 Gordon 之作，竟然發覺讀不懂！

困難是這樣的。如果海洋是私產，業主僱用工人捕釣，人數增加，捕釣的邊際所獲或產出的價值會下降，業主僱用工人的數量或捕釣的時間，達到工資等於產出的邊際價值會停下來。時間工資等於邊際產出價值是均衡點。在這點上，工人的平均產出所值一定高於邊際產出所值。這二者的相差乘以捕釣的人數或時間就是海洋的租值，歸海洋業主所有。這個傳統的結論我沒有異議。

但假如海洋是公有，任何人可以隨意捕釣，Gordon 之見，是在競爭下，參與捕釣的均衡點是每個捕釣的人的平均所獲等於他另謀高就的收入，即是說漁業的工人平均產出所值等於他們的時間工資。達到這一點，海洋的租值是零。換言之，公海沒有業主，在沒有約束的競爭下，參與的人數增加，捕釣的成本於是增加，這增加要把海洋的租值全部替代或消散了才達到均衡點。

這個看來是理所當然的零租值的均衡點當年困擾着我。海洋沒有業主，沒有人收租，租值是零的那一點當然是捕釣的總成本或總工資等於捕釣者的總收穫，也即是捕釣者的平均成本等於平均收穫。但那是定義性的均衡，說了等於沒說。我想了幾天也解不通的困難，是不管海洋是私有還是公有，在競爭下，各自為戰，爭取自利極大化，每個捕釣者都看着自己的時間成本與邊際收穫，二者相等會停下來。這就是問題：每個捕釣者爭取自己邊際所獲等於時間工資，怎可以導致在整體上每個捕釣者的平均所獲等於時間工資呢？

歸功古諾算了

我終於推出的答案，是如果海洋公有，自由競爭導致海洋的租值是零，需要有無數個捕釣成本相同的競爭者參與，每個參與者的捕釣時間無限少，才可以有個人邊際所獲等於時間工資而同時將海洋的租值消散為零。公海捕釣，租值全部消散要有無數個相同的捕釣者，而每個的捕釣時間要近於零。數學方程式及幾何都證得清楚，邏輯不會錯。

正當沾沾自喜，卻發現那是一八三八年法國偉大經濟學者 A. A. Cournot 提出的雙頭壟斷（古諾模型）分析加上自由參與的伸延。我於是在文內把功勞推到古諾那邊去。

（這裡要給同學們提點一下。如果當時我不歸功於古諾，沒有誰會看得出與古諾有關聯，我會因而大名遠播。外人不應該看得出，因為古諾的圖表是說產品，我的是說勞力，而他沒有伸延到無限個參與者。再者，我的理論是全由自己想出來的，事前沒有想到古諾，不提及他學術道德及格。但當時認為既然古前輩先說了類似的，就說是他的吧。做學問，有恃無恐才是英雄好漢。我那一九七〇年發表的關於公海捕釣的題為《合約結構與非私產理論》的文章也不倒楣。二〇〇九年見到一位來自加州大學的教授，他説該文是今天好些大學的"天然資源"課程的必修讀物。)

租值全部消散不容易

在分析公海漁業的租值消散中，我得到一個重要含意：租值全部消散很不容易。海洋公有，如果捕釣者的本領不同，或時間成本不同，只有在邊際上的賺取不到租值，在邊際內好些捕釣者會獲得一點租值甜頭。如果捕釣的人數受到約束，參與的會有更多的租值分享。這使我想到公海的漁業會鼓勵工會出現，限制會員人數；或通過政府約束漁船的牌照數量。換言之，在非私產的情況下，減少租值消散的行為或政策會出現。漁船的牌照在市場有價是反映着公海的租值。這是後來一九七四年我發表《價格管制理論》的一部分思維。

佃農分成的啟示

另一個有關的思想來得較早。一九六六年寫《佃農理論》時，我已經熟知公海漁業的租值消散。臺灣一九四九年推出的土地改革，把農業地主的平均分成率從百分之五十六點八約束在百分之三十七點五，導致租地農民的勞動力投入增加。我想，難道這是局部的公海捕釣勞力增加而促成某部分的農地租值消散嗎？

跟着的推理是，如果臺灣的土地改革不是約束佃農的地主分成率，而是把農地的產權以股權處理，然後由政府強迫地主把一部分的股權送給農民，使耕耘成為地主與農民的合股制，耕耘的勞力投入不會增加，租值不會局部消散（見《佃農理論》一一五至一一七頁）。這帶來一個重要的發現：資源使用的權

利沒有界定，跟資源收入的權利沒有界定會有相同的租值消散的效果。

價格管制與租值消散

上述的關於租值消散的幾個重點的合併，加上用了幾年時間考查香港當年的租金管制，帶出我一九七四年發表的《價格管制理論》。只二十多頁紙寫了一整年，易稿十多次，但還是難讀，雖然巴澤爾認為那是關於交易費用的最重要文章。二〇一〇年十一月二十三日我發表《內地價管山雨欲來乎？》，其中兩段簡述該價管理論，一位朋友認為簡述得清楚：

一九七四年我發表的、今天在行內受到重視的《價格管制理論》，是一篇難讀的文章。簡化到最簡我是這樣說的。如果一件物品的市價值七元，政府管制只准賣五元，那兩元的差額沒有清楚的權利界定，在競爭下租值消散會出現。這消散會通過市價之外的其他決定競爭勝負的準則出現，例如排隊輪購。但排隊的時間成本對社會什麼貢獻也沒有，只在邊際上替代了那兩元的所值，所以是租值消散的浪費。

我跟着問：可以替代市價的其他準則有多種，市場會採用哪種呢？我的答案是市場會採用在局限約束下，租值消散得最少的競爭準則。巴澤爾認為這是整個交易費用範疇中最重要的一句話。這重點，行內的朋友讀得懂的不多，但北京的朋友應該是專家。他們會記得上世紀八十年代，因為價管的普及而引起的倒買倒賣及其他說之不盡的貪污行為，或走後門、搞關係等。這些行為，以我一九七四年提出的價管理論看，是用上在枱底界定權利的法則來減少租值消散。

要點的總結

說這簡述比原文較為清楚是對的，但只是因為好些重點被撥開了。我會在卷四補充。如下羅列同學可以明白的幾點。一、價值或收入沒有權利界定，導致以排隊輪購的時間浪費來取代價值，是租值消散，跟公海捕釣的租值消散完全一樣。二、排隊輪購的租值消散顯然是一種交易費用，也是制度費用。三、本章第四節將會解釋，所有租值消散都是交易或社會費用。四、租值消散的行為不限於排隊輪購，所有因為權利界定不明確的競爭帶來的租值下降都是。五、以排隊輪購為例，如果所有排隊的人的時間成本相等或相近，總租值的消散會比這些人的時間成本差別大的情況高。時間成本最高的排隊者是邊際的"排客"，對此客來說，價值權利沒有界定的那部分租值是全部消散了。時間成本較低的被成本較高的保護着，可以賺取一點價格管制贈予的租值，但這是假設在價管下產品或服務還會繼續出售。

難題的所在

考慮最後第五點吧。在價格管制下，可以局部替代價格的其他競爭準則有多種，排隊輪購只是一個可能的選擇。怎會選排隊呢？如果排隊的人的時間成本有大差別，總租值的消散會比排隊的人的時間成本大致相若的為低，所以如果其他局限條件容許，前者的情況會偏於選擇排隊輪購。價格管制的分析困難不是傳統說的不均衡或只有天曉得是什麼的"短缺"，而是我們不知道在價管下哪一種競爭準則會局部取代市價。如果知道，例如知道排隊輪購會被採用，均衡分析易如反掌。那所謂"不均衡"只不過是說有關的局限為何我們不知道。

我提到的"如果其他局限條件容許"是關鍵問題，也是大難題。只要我們知道這些有關的“其他局限”，個人爭取在局限下利益極大化的公理會引導我們推斷哪種價格之外的競爭準則會被採用，因為這公理含意着的是選擇在局限下租值消散得最少的其他競爭準則。只要知道這些其他準則是什麼，均衡分析是學生習作。價格管制的困難，是在理論上我們要推斷哪些其他競爭準則會被採用。這是我那一九七四年的文章難讀的原因。有機會我會在卷四分析得再深入一點。

從租值消散看一般均衡

這就帶來這節要說的另一個重點。租值消散是指在邊際上全部消散，在邊際之內一般只是局部消散，局部被邊際的消散保護着，得享一點租值的甜頭。這是說，像第六章分析上頭成本那樣，租值享受的權利可以由競爭保護，由競爭釐定，由競爭分配。這裡的重點是：任何經濟分析，如果在邊際上有應該消散的租值，但沒有消散，這分析一定錯！這個法門，用熟了，可以在很短時間判斷一個分析為錯，而這樣錯的專業分析比比皆是。沒有應該消散的租值的分析不一定對，有則一定錯。

我這個七十年代初期想出來的、應該消散的租值在邊際不存在的均衡看法，其實是經濟學說的一般均衡。跟瓦爾拉斯（L. Walras）的以方程式算出來的一般均衡是兩回事。他的一般均衡是方程式“均衡”，沒有經濟內容。我提出的一般均衡用不着方程式，是經濟均衡。後者是經濟解釋需要的。瓦前輩的均衡是在辦公室裡算出來的；我的均衡是指找到可以在真實世界驗證的假說。

第四節：市場節省了些什麼？

中國的甲骨文顯示，市場交易盤古初開有之。儘管我們知道今天的“先進”市場麻煩多多，不盡不實的瞞騙行為的困擾不少，我們不能否認市場的存在是人類生存及進步的一個主要引擎。分析生產成本時我指出大家知道的：專業生產可以帶來數以百倍計的產量增加，或導致平均成本大幅下降。專業生產主要是要由市場交易帶動的。一七七六年斯密說：分工產出的程度是被市場的廣闊度決定的。這句有名的格言，是對是錯曾經吵過一陣。結論是小節有錯，大體上對。

交易費用是零的失誤

奈特一九二四年說沒有私產不會有市場；科斯一九六〇年說只要權利有清楚的界定（私產也），交易費用是零（他這樣說），通過市場的運作，不管權利界定屬誰會有相同的資源使用的效果。一九八二年我在《中國會走向資本主義的道路嗎？》那小書內提出異議：

> 如果廣義的交易費用真的是零，我們要接受消費者的意欲會不費分毫地準確表達；拍賣官與監察者會免費搜集與整理訊息；工作的人與其他生產要素會得到免費的指引，去從事與消費者的意欲完全吻合的產出；每個消費者獲得的產品與服務，跟他的意欲會是一致的；仲裁者會免費地決定一個工作者或消費者的總收入：把工作者的邊際產值，加上社會其他所有資源的租值的一個分成，而這分成是依照大家不費分毫地同意的任何一種準則而決定的。如此推理，科斯的效果可以沒有市價而達致。

後來科斯與阿羅（K. Arrow）同意這段文字說的。

腦子閉塞二十年！

這就帶來一個難倒了我多年的問題。市場交易無疑給社會很大的利益，但這利益不足以解釋市場的存在！如果交易費用真的是零，更大的利益可以不通過市場而獲取。事實上，二十世紀上半部的經濟學文獻，不少直指在社會主義下，由中央指導生產及分配會比市場更有效率。這觀點，跟着的史實無情地推翻了。

交易費用全部是零不會有市場，市場的出現是證實着社會有交易或制度費用。明顯地，市場的出現不會因為要增加這些費用，而是某些費用市場可以協助節省。然而，無論是產權界定的費用，訊息傳達的費用，市價釐定的費用，量度的費用，合約的費用——還有其他的——皆因市場的存在而存在，那麼市場可以協助節省的費用是些什麼呢？腦子閉塞，這問題我想了近二十年。

草原畜牧的啟示

二○○一年的一個晚上，我想到一篇只兩頁紙的文章。作者 A. Bottomley，一九六三年發表，關於非洲的黎波里塔尼亞的草原。二○○八年我在自己的《中國的經濟制度》對該文給我的啟發有如下的評述：

作者的論點，是的黎波里塔尼亞的草原極宜種植杏仁樹，但因為草原公有，於是用作畜牧。有價值的資源毫無約束地讓公眾使用的現象曾否出現過，我歷來懷疑，但假設真有其事，租值消散是效果。那麼，的黎波里塔尼亞的草原公用畜牧，其交易或制度費用是些什麼呢？答案是消散了的租值！在我一九七四發表的關於價格管制的文章裡，我指出租值消散是一種交易費用。的黎波里塔尼亞的例子，同樣的看法比較困難，但在兩方面土地的租值消散真的是交易或制度費用。一方面，租值消散不會在一人世界發生；另一方面，成本（這裡指費用）是最高的代價——的黎波里塔尼亞的畜牧代價是種植杏仁樹的土地租值。定義説，把草原轉作種植杏仁樹的用途的總交易或制度費用，一定不會低於租值的消散，否則這用途的轉變會出現了。跟着的含意是，如果我們能認定這些費用在哪方面有了轉變，制度的轉變可以推斷。這正是一九八一年我推斷中國會走向市場經濟的道路的方法。

如上可見，租值消散不限於公海捕魚那類情況：競爭公海捕釣，提升了參與的勞動力成本，局部或全部替代了海洋在有私產界定的約束下可以獲得的租值。的黎波里塔尼亞的例子示範着的，是草原可以植果樹，租值較高，但因為畜牧而放棄了租值較高的植樹用途。換言之，租值消散可以通過多種不同的形式，而私產的界定與市場的出現是協助減少租值消散。

租值消散是競爭現象

這就帶來租值消散的基本性質。任何資源或資產的用途有多種，要達到最高租值的用途不容易，因為有訊息費用等局限的約束。租值消散的概念不是指最高租值的用途達不到。使用者作出錯誤的決策而導致租值下降為零，也不是租值消散。租值消散的概念，一定要從人與人之間的競爭導致的租值損失看。魯濱遜的一人世界，算他蠢到餓死，也沒有租值消散。魯濱遜的收入全部是租值，因為沒有競爭半點也沒有消散，雖然他可以頻頻作出錯誤的決策，使良田美池的租值或產出化為烏有。

的黎波里塔尼亞的草原用作畜牧而不植樹，顯然是競爭的結果，因而可以看為租值消散。我在一九七〇年的《合約結構》

一文提到，牛或羊可以在晚上帶回家，但樹卻不可以搬來搬去，所以除非土地有清楚的界線劃分，有產權的保障，植樹會被牲畜吃了。的黎波里塔尼亞的例子，是畜牧者競爭着使用公有的草原。租值消散但不會全部消散，跟上節分析公海捕釣的情況一樣。把土地劃分作為私產有法律費用，有界定及保護費用，也有政治及其他費用，都是制度費用。租值消散也是制度費用，皆從狹窄的交易費用擴大來看。如果植果樹的價值急升，或界定土地作為私產的費用下降，的黎波里塔尼亞的草原的權利制度會改變，租值消散這種制度費用會下降，但界定私產的制度費用會上升。

制度費用是約束競爭的費用

競爭一定受到約束人類才可以生存。凡有社會必有競爭，凡有競爭必有制度。制度的形成是為了減低租值消散，也即是以一種制度費用替代另一種。從樂觀的角度看，這替代偏於減低制度費用；從悲觀的角度看，這些費用可以因為人的自私而增加了。是後話。在卷四我會帶同學們走進更深入的層面：約束競爭的安排是合約安排；約束競爭的費用是交易或制度費用。

回頭說市場，是制度，當然也是約束競爭的安排，而市價是約束及決定競爭勝負的準則。在多種決定經濟競爭勝負的準則中，只有市價不會導致租值消散。本節可見，市場的形成與市價的採用不是天經地義的事，往往要經過千山萬水。中國的經驗可教。

市場節省了些什麼？節省了租值的消散。在眾多競爭準則中只有市價不會導致租值消散。市價的採用與釐定要付出產權界定、訊息傳達、量度監管、合約磋商、風俗法律等費用。那是奢侈的競爭準則，只是租值消散往往龐大，為了生存人類的選擇是換得過。多麼精彩的世界，多麼有趣的學問。然而，再推下去，人類可能自取滅亡。

第五節：從帕累托至善到帕累托至悲

意大利大師帕累托（V. Pareto, 1848-1923）是施蒂格勒高舉為當時唯一的執着於以驗證來解釋世事的經濟學者。帕氏得享大名主要是提出了一個資源使用的情況，我在《科學說需求》第七章簡介如下：

> 帕累托說：資源的使用及物品的交易可以達到一個情況或條件，滿足了這條件，我們不可能改變資源的使用，使一個人得益而沒有其他人受損。換言之，要是這條件不達到，我們總可以改變資源的使用或市場的交易，使社會起碼有一個人得益而沒有其他人受損——這也等於可使整個社會的人得益。

這兩句話有略為不同的稱呼：客觀稱帕累托條件（Pareto Condition），價值觀稱帕累托至善點（Pareto Optimality）。這格言重要，因為是最簡單的描述一個複雜社會的資源使用的一般均衡。用於社會，不用於一人世界。在社會的資源缺乏與競爭的局限下，經濟學的公理說每個人爭取自己的利益極大化，達到資源使用的最"理想"的一般均衡就是帕累托指出的情況。歷久以來，經濟學者以這情況或條件的達到來形容社會經濟有效率，違反了是無效率。然而，當我們引進交易或制度費用作為一種無可避免的局限，帕累托條件或至善點的闡釋改變了。

一人世界沒有無效率這回事

經濟本科一年級的課本喜歡先教魯濱遜的一人世界，提出一條"生產可能性曲線"，魯濱遜的產出點在該線上稱有效率，在該線之內稱無效率。落筆打三更，教錯了。魯濱遜的產出點怎可以在"生產可能性曲線"之內呢？假設的公理說，魯濱遜在局限下無時無刻不爭取個人利益極大化，既然該曲線說"可能"，即是說在局限下最高的可能產出，定義上魯濱遜的產出點一定是在該線之上，邏輯不容許產出在該線之內。

你說魯濱遜會在局限下爭取利益極大化，又說這極大化有曲線為限，他怎可以走進該曲線之內呢？他的產出在哪一點，曲線一定穿過那一點才沒有邏輯上的矛盾。說他還在該曲線之內的是違反了定義，屬蠢到死的不可能。就算魯濱遜自己蠢到死，跌跛了腳，產出下降，那只不過是局限變了，"生產可能性曲線"要重新畫過。

社會：從自助餐說起

既然一人世界的資源使用不可能無效率，轉到社會看帕累托條件怎會有無效率呢？我喜歡從自助餐的例子看。吃自助餐要付一個固定的人頭價，然後自助，吃多吃少隨君便。這樣，顧客當然吃到最後一口的邊際用值為零，甚至有吃不完的棄於枱上。餐館提供自助餐的食品的邊際成本可不是零。邊際成本高於邊際用值是浪費，而所有前者高於後者的每口浪費加起來是總浪費了。這樣看，自助餐的供應無效率，違反了帕累托條件。

如果我們問，為什麼會有自助餐這種收費安排呢？答案顯然是減少了交易費用：量度顧客食量的費用，顧客點菜的麻煩，結賬時多了手續，等等，都是交易費用。原則上，餐館提供自助餐要基於交易費用的節省高於顧客大吃一通的浪費。我們也可以推斷，自助餐提供的食品不會是很珍貴或是成本很高的，因為珍貴食品的浪費會容易地超過交易費用的節省。同樣，我們可以理解某些自助餐提供珍貴食品時，餐館會加上限量的約束。這裡的要點是：加上交易費用的考慮，食物的邊際產出成本高於顧客的邊際用值是滿足着帕累托條件的要求。

上述自助餐的經濟解釋，用上的法門又是需求定律與局限轉變。但這裡帶來一個重要的理念：自助餐被視為浪費，無效率，只不過是因為我們漠視了交易費用。單是為了解釋吃自助餐的顧客狼吞虎嚥，我們不需要引進量度及分類算價的交易費用，只提出按人頭算價的收費，吃多少沒有約束，就足夠了。但如果我們要解釋為什麼自助餐的收費安排會被採用，這些交易費用非引進不可。前者有浪費，後者沒有。要點是：解釋一個現象不一定需要把足以滿足帕累托條件的局限放進去；“浪費”的行為起於我們無需顧及所有局限來解釋狼吞虎嚥。如果真實世界所有有關的局限都放進去，浪費算不出來。

這就帶到帕累托條件的一個重要用途。解釋一個現象，當我們發覺指定的局限有浪費的效果，我們要審查一下沒有引進的促成“浪費”的其他局限是否需要引進。

租金管制的實例

自助餐的實例是淺的，示範着無效率與有效率的分別只不過起於局限的引進不同，而足以解釋某些行為或現象的局限引進，往往不需要考慮足以滿足帕累托條件的其他局限。在真實世界中，我們不容易找到像自助餐那麼顯淺地示範着局部或全面性的局限引進。處理的方法其實一樣，但好些實例我們要用上幾年時間才知大概。結論永遠一樣：局限是指無可避免的，無論政府的政策如何失敗，只要引進所有有關的局限，帕累托條件是滿足了的。換言之，無效率這回事，是經濟學者有意或無意間把某些局限漠視了。最常被漠視的是交易或制度費用。

我曾經用上幾年時間調查香港的租金管制，發表了三篇文章，雖然其中的《價格管制理論》行內的朋友認為重要，但那為禍不淺的租管的出現與持續不易明白。單看該政策的效果，帕累托會立刻昏倒。

一九四七年，香港政府考慮推出租金管制，理由是要讓二戰逃難後回歸的港人有棲身之所。當時的港督委任五個委員決定，是港督事前知道會投租管一票的。其中兩位是可從租管賺錢的律師。為該管制寫法例的英國律師說明他不懂，對自己寫的有懷疑。港督說是暫時性的，但延期兩次後轉為不暫時，法例後來修改了三十多次，合共管了四十多年。災難是明顯的：當年香港的人口急升，但因為租管舊樓不容易重建加高，租客與業主吵罵甚至大打出手的故事天天有。就是今天，在香港市區重要位置的破落建築物不少，一般是昔日的不同租管遺留下來的痕迹。

我曾經跟兩位專於處理租管案件的香港法官詳談過（一位被邀請到我西雅圖的家作客一個星期，天天談）。他們一致認為，如果一定要推出租管，香港修改了多次的法例是最可取的，可教，但香港的經驗是早知如此，悔不當初！

我不敢說解通了香港當年堅持租管的局限密碼，但認為四個局限是明顯的。一、無知——修改了三十多次是無知的證據。二、愚蠢——無知是學問不足，愚蠢則奇哉怪也。一九六二年在修改法例時不小心地加進一個蠢註腳，說一九六五年底前申請立刻重建可以有較大的容積率。重建狂潮出現，導致銀行擠提與樓價暴跌。愚蠢是局限，也無可避免，帕累托要笑出聲來吧。三、利益團體不易處理。律師的利益姑且不論，業主有業權，租客有住權，而什麼議員政客有治權，三者混淆不清。無意為禍可以惹來大禍。四、一項暫時性的法例，惹來的麻煩香港政府初時做夢也想不到。世界複雜，看似可以調控的法例帶出其他事前想不到的局限轉變。今天回顧，這些其他局限當時是真實的，所以帕累托條件是滿足了。

盜竊的帕累托觀

經濟學者塔洛克（G. Tullock）提出一個問題與一個答案。我認為問題有趣，但答案卻是錯了。塔兄問：盜竊對社會何害之有？竊賊得物，物主失物，一得一失，何害之有？塔兄的答案，是物主為了防盜，要花錢購買門鎖及其他防盜設施，而政府為了提供保安，要抽物主的稅，這些加起來的社會費用不少，所以盜竊對社會有害，違反了帕累托條件。你同意嗎？

這裡的問題，是經濟學的基礎假設是每個人在局限約束下爭取自己的利益極大化，而這基礎假設是帕累托至善點或條件不可忽略的。拿開這假設，帕累托條件不可能在邏輯上成立。斯密說人類的自私會給社會帶來利益，當然對，但《國富論》輕視了人類的自私會容易地增加社會的交易或制度費用。

盜竊、欺騙、打家劫舍、恐怖活動等行為，都是在局限下爭取個人利益極大化的結果。是定義性的，經濟學的範疇不容許從另一個角度看。不是說不可能有另一些解釋力更強的基礎假設，而是在我們今天知道的有解釋力的範疇內，這傳統假設要墨守成規。你說人有時自私，有時不自私，那麼任何行為都可從自私或不自私作解釋，不可能推出可以被驗證（即有可能被行為推翻）的假說。捐錢協助窮人是自私嗎？只有上蒼知道，但作為一門科學，經濟學要堅守這個假設，然後以局限的轉變來解釋捐錢的行為。

回頭看自助餐的例子，那顧客吃到邊際用值是零的“浪費”。如果顧客是不自私的，懂得顧及大眾的利益，對自己會有利。餐館的老闆只要把每項食物的邊際成本貼在牆上，顧客一律知所適從，每位只吃到邊際用值等於食物的邊際成本，量度與監管的費用是節省了，邊際用值低於邊際成本的浪費也節省了。這樣，餐館的老闆在同行競爭下不能不減自助餐的收費，讓顧客們皆大歡喜。可惜人類不是這樣的。

如果上帝造出來的人只在對社會有利的行為上自私，對社會有害的不自私，社會會比我們知道的富裕得多。然而，《聖經》舊約説摩西從山上帶下了“十誡”，都是教人不要自私的。我們要問：為什麼《聖經》會有十誡？中國的聖人為什麼教仁義道德？我們的父母為什麼教孩子要誠實，要以禮待人？為什麼地球上所有的風俗都有禮節這回事？我的答案是這一切都是為了減低交易或制度費用。減歸減，風俗只不過協助約束着某些增加制度費用的行為，把人類選擇的局限在某方面略為改變了。自私的行為還是會增加制度費用的。

博弈理論無濟於事

斯密沒有重視自私帶來的“禍”，是博弈理論三十多年來盛行的原因。對真實世界認識不足，不重視局限的變化，好些行為無從解釋，而引進博弈理論只不過是賣弄一些花拳繡腿，説故事，無從驗證。

經濟學有一個霍特林（H. Hotelling, 1895-1973）悖論（Hotelling Paradox）。這悖論説，有一條很長的從東到西的公路，人口平均分布。為了節省交通費用，要開辦一家超市當然選建在公路的中央點。要開辦兩家，理想的選擇是分別建在路的東西兩邊的四分之一。然而，為了爭取顧客，東家與西家都爭着向中央移動，最後的均衡點是兩家一起建在公路的中央處。這是博弈的行為，而如果有三家，則大家會轉來轉去，永無止境地轉。

有實用性的經濟解釋可不是這樣的。只要知道局限的約束情況，我們可以推斷超市的位置會在哪裡，或有多少家。一家可以收購另一家，或多家可以合股經營，或有無數小家分布在路上的多處，甚或離開公路可能是較為優勝的選擇。但我們對局限的變化要知道很多：地價、人口分布的性質、商業區的位置、超市的連鎖性、僱用員工的方便程度等。要知道這些的大概可不容易，但知道了解釋超市的分布不困難。

這裡我要重複説過的：理論要簡單，但要有深入的層面；局限可以簡化，但要經得起複雜的蹂躪。

人類滅亡是帕累托至悲

如果我們接受自助餐的浪費是滿足着帕累托的條件或至善點，那我們要接受其他因為局限與自私帶來的禍也滿足着帕累托，甚至人類滅絕也是。局限如斯，自私若此，在定義上邏輯不容許其他選擇。算進所有的有關局限，帕累托至善與帕累托至悲是同一回事。

從“至善”的角度看，自助餐這類收費安排是不會滅絕人類的——不管浪費多大也不會。這是因為餐館的老闆有選擇：自助餐的浪費如果高過非自助餐的交易費用增加，該老闆不會供應自助餐。如果老闆生得蠢，堅持提供浪費高於費用節省的自助餐，市場會淘汰他。

適者生存，不適者淘汰，在個人或個別機構各自為戰、各有自己的選擇的情況下，會給社會帶來進步。經濟學鼻祖斯密是個大智大慧的人。他說人類自私是適者生存的結果，而他分析農地操作的制度演進，也是適者制度淘汰不適者。雖然在農地制度演變的分析中他嚴重出錯（見拙作《佃農理論》三十二至三十四頁），他的適者生存的思維實在好，也實在重要。這思維有說服力，影響了後來可能是人類歷史最偉大的科學家：達爾文。

可能因為自私自利競爭的淘汰一般給社會帶來好效果，斯前輩不重視自私帶來的禍。我們不容易明白為什麼斯前輩當年沒有想到，人類的自私帶來的制度費用提升或局限轉變，可使個別的人或機構沒有退出或不參與的機會，因而可能導致很大的損害。斯前輩當年也沒有想到，人類的智慧可以製造出足以毀滅全人類的武器。

想想吧。昔日香港的租金管制只是一小撮人的決策，但推了出去收不回來——業主與租客的選擇要弄到一團糟才逐步修改。然而，與當年死人無數的中國人民公社相比，香港的租管屬小兒科。單是二十世紀這一百年，人為的大災難出現過多次。一九四五年核彈爆於日本，三十年後核武的研發與製造，據說足以毀滅全人類幾次。個別的人或機構沒有不參與的選擇可以有恐怖的效果。

二〇〇七年二月二十二日我在一篇文章寫道：

人類怎會互相殘殺呢？答案只有一個。自私無疑可以給社會帶來利益，但自私也可以增加交易費用或制度費用。只要這些費用因為自私而變得夠高，人類可以毀滅自己。在這樣的局限下，人類因為腦子了得，發明了可以毀滅自己的武器，有不少機會會因為自私增加了交易費用，導致宇宙沒有出現過的生物自取滅亡。只有人類可以做到，因為只有人類才有足以毀滅自己的“智慧”。

達爾文的“適者生存，不適者淘汰”是套套邏輯，但非常重要，因為加進內容可以推出無數有解釋力的假說。帕累托條件對經濟的看法是重要的思想，也屬套套邏輯，我們也要把內容放進去才推得出可以驗證的假說。當我把交易或制度費用放進去，得到的結果是帕累托至善與帕累托至悲相同！

雖屬套套邏輯，帕累托條件畢竟提供一個簡單而重要的角度看世界，協助我們在解釋行為的過程中，面對多而複雜的局限轉變時，作出清晰的選擇。很好用；我常常用。不要忘記帕累托條件的一個重要含意，是在社會的競爭下，可以避免的局限一定避免。我們不要把對解釋世事無關的局限放進分析去。

後記：華盛頓學派與租值消散的思想發展

一九九〇年，諾斯在一本書中提到有一個“華盛頓大學路向”，說我是該路向的創始人。今天在西方聽到的“華盛頓經濟學派”應該是說這路向。一個學派總要有點獨特之處。華盛頓學派的獨特之處是些什麼呢？眾說紛紜。我認為重視租值消散這個話題是華大當年與眾不同的思想範疇。

租值消散這個理念起自十九世紀的范杜能。前文我指出：一九二〇年庇古以兩條公路的例子示範；一九二四年奈特的一篇天才文章力斥庇古之非。一九五四年戈登把奈特的分析引進公海漁業——租值消散（dissipation of rent）這一詞是戈登起的。簡言之，租值消散是說，有價值的資源或物品，在某些局限下人與人之間的競爭會導致其價值下降。

一九六九年我重讀戈登的名作，發現他說的租值消散的均衡點言不成理，手起刀落，該年我寫好一九七〇年發表的《合約結構與非私產理論》，糾正了戈登，提出了一個新的均衡分析。到了西雅圖華盛頓大學，我為資源或物品的租值不容易全部消散這個問題繼續思考，知道非私產在某些情況下有可取處。跟着意識到，在所有競爭準則中，只有市價不會導致租值消散——任何其他競爭準則某程度的租值消散一定會出現。再跟着的思維是，意圖減低租值消散是每個人在局限約束下爭取利益極大化的必然行為。這不僅讓我在一九七四年發表《價格管制理論》，也讓我後來分析中國時知道當時的幹部等級排列是為了減低租值消散。

一九八二年離開了華大後我想到，交易費用必須包括所有在一人世界不存在的費用，而租值消散只可能在多人的社會出現競爭才會出現，所以租值消散是交易或制度費用的其中一種。再過大約二十年我想到，市場的出現是源於一個交易費用替代定律：市場採用市價的交易費用替代了因為沒有市場而出現的租值消散。在整個思考推理的過程中我想到，如果在經濟分析的邊際均衡點上有應該消散的租值，但沒有消散，該分析一定錯！

其實當年的西雅圖華大重視假說驗證，漠視功用分析，也重要，可能也是源於我的影響，但今天回顧，只有租值消散這個話題是當時華大獨有的。明顯地，租值消散與減低這消散是非常重要的可以解釋人類行為的理念，但華大之外的行內朋友不重視。

參考文獻

R. H. Coase, "The Nature of the Firm," *Economica*, 1937.

F. A. Hayek, "The Use of Knowledge in Society," *American Economic*

Review, 1945.

H. S. Gordon, "The Economic Theory of a Common-Property Resource: The Fishery," *Journal of Political Economy*, 1954.

R. H. Coase, "The Problem of Social Cost," *Journal of Law & Economics*, 1960.

G. J. Stigler, "The Economics of Information," *Journal of Political Economy*, 1961.

A. Bottomley, "The Effect of the Common Ownership of Land upon Resource Allocation in Tripolitania," *Land Economics*, 1963.

H. Demsetz, "The Exchange and Enforcement of Property Rights," *Journal of Law & Economics*, 1964.

G. Tullock, "The Welfare Costs of Tariffs, Monopolies, and Theft," *Economic Inquiry*, 1967.

H. Demsetz, "Information and Efficiency," *Journal of Law & Economics*, 1969.

S. N. S. Cheung, "Transaction Costs, Risk Aversion, and the Choice of Contractual Arrangements," *Journal of Law & Economics*, 1969.

S. N. S. Cheung, "The Structure of a Contract and the Theory of a Non-Exclusive Resource," *Journal of Law & Economics*, 1970.

S. N. S. Cheung, *The Myth of Social Cost*. Institute of Economic Affairs, 1978.

S. N. S. Cheung, *Will China Go Capitalist?* Institute of Economic Affairs, 1982.

Y. Barzel, "Measurement Cost and the Organization of Markets," *Journal of Law & Economics*, 1982.

S. N. S. Cheung, "The Contractual Nature of the Firm," *Journal of Law*

& Economics, 1983.

S. N. S. Cheung, "Economic Organization and Transaction Costs," *The New Palgrave: A Dictionary of Economics V. 2*, 1987.

S. N. S. Cheung, "On the New Institutional Economics," *Contract Economics*, 1992.

S. N. S. Cheung, "The Transaction Costs Paradigm – 1998 Presidential Address, Western Economic Association," *Economic Inquiry*, 1998.

人名索引
(Name Index)

經濟解釋　第四版

全五卷之二：收入與成本

Steven N. S. Cheung, Economic Explanation, Fourth Edition
Book Two of Five: Income and Cost

作者	張五常
封面攝影	張五常
扉頁書法	張五常
扉頁篆刻	茅大容：山一程水一程
	吳子建：張五常
書底篆刻	茅大容：過危樓欲飛還斂
總編輯	葉海旋
助理編輯	黃秋婷
設計	陳艷丁
出版	花千樹出版有限公司
	地址：九龍深水埗元州街 290-296 號 1104 室
	電郵：info@arcadiapress.com.hk
印刷	利高印刷有限公司
初版	二〇一一年二月
第四版	二〇一七年五月
ISBN	978-988-8265-78-7